dulce abismo

El dulce abismo

Cartas de amor y esperanza de cinco familias cubanas

PRESENTACIÓN DE
ALICE WALKER

PRÓLOGO DE
NANCY MOREJÓN

EDITORIAL JOSÉ MARTÍ

Coordinadoras: Silvia García, Ana Mayra Rodríguez
y Rosa Miriam Elizalde
Edición: Rosa María Marrero Pérez
Corrección: Maritza Vázquez Valdés
Diseño: Enrique Mayol Amador
Composición: Rebeca Blasco Purón

ISBN 959-09-0294-4

INSTITUTO CUBANO DEL LIBRO
Editorial JOSÉ MARTÍ
Publicaciones en Lenguas Extranjeras
Calzada no. 259 entre J e I, Vedado
Ciudad de La Habana, Cuba
jmbf@icl.cult.cu

Amada, supón que me voy lejos,
tan lejos, que olvidaré mi nombre.
Amada, quizás soy otro hombre,
más alto y menos viejo, que espera por sí mismo
allá lejos, allá trepando el dulce abismo.

Amada, supón que no hay remedio
remedio es todo lo que intento
Amada, toma este pensamiento
colócalo en el centro de todo el egoísmo
y ve que no hay ausencia para el dulce abismo.

Amada, supón que en el olvido
la noche me deja prisionero
Amada, habrá un lucero nuevo
que no estará vencido, de luz y de optimismo
y habrá un sinfín latente bajo el dulce abismo.

Amada, la claridad me cerca,
yo parto, tú guardarás el huerto.
Amada, regresaré despierto
otra mañana terca de música y lirismo,
regresaré del Sol que alumbra el dulce abismo.

SILVIO RODRÍGUEZ
El dulce abismo

ahora que me acompañan ustedes, todo mi pueblo y la dignidad del mundo.

RAMÓN LABAÑINO

LA HISTORIA DE LOS CINCO CUBANOS

La historia de los Cinco Cubanos es una historia de valor, gran sacrificio y amor. Es una historia para las diferentes edades, en especial para los miembros de nuestro pueblo que han sufrido la implacable opresión de la supremacía blanca norteamericana; un dominio del color y el poder que el resto del mundo parece destinado a experimentar. En septiembre de 1998, cinco cubanos: Gerardo Hernández Nordelo, Ramón Labañino Salazar, Antonio Guerrero Rodríguez, Fernando González Llort y René González Sehwerert fueron arrestados en el estado de la Florida. Acusados de espionaje y otros «crímenes» contra los Estados Unidos, fueron condenados en Miami, un lugar notorio por su odio a la Revolución Cubana, a Fidel Castro y a todo lo relacionado con las aspiraciones sociales, culturales y espirituales del pueblo cubano. Los cinco hombres fueron tratados de forma atroz, como lo han sido de forma habitual los cubanos, y más aún los de piel oscura, en las cárceles de los Estados Unidos. Se les trató con sadismo, aunque los jueces fueron incapaces de definir el «crimen» específico que habían cometido los Cinco, a no ser el tratar de descubrir y alertar a su país de los ataques terroristas planeados, que Cuba ha sufrido durante décadas por parte de cubanos radicados en Miami y con el apoyo del gobierno de los Estados Unidos. Se les negó el derecho a fianza, se les separó de sus familias y se les mantuvo durante diecisiete meses en confinamiento solitario en un intento de quebrarles el cuerpo y el espíritu. Se les impusieron sentencias ridículamente largas: uno de ellos, Gerardo Hernández Nordelo, fue condenado a más de dos cadenas perpetuas. Y existen otros horrores que estos hombres se abstienen de describir en estas páginas por compasión a sus familias y al pueblo de Cuba que sufre intensamente por la difícil situación que padecen.

El tratamiento que han recibido es vergonzoso. El silencio que rodea este tratamiento lo es más aún. ¿Dónde están los miembros del Congreso, los senadores y representantes con los que deberíamos poder contar en casos como éste? Personas con el valor necesario para insistir en que no se torturen a los prisioneros. Que a sus hijos no se les niegue el acceso a ellos, que no se lleve a la desesperación a las esposas y madres por los muchos intentos fallidos al querer ver a sus seres queridos encarcelados, en este caso, de forma injusta. Desafortunadamente, muchos de nuestros líderes parecen ver a los conservadores cubanos de la Florida, incluyendo a los asesinos y terroristas, como *personas que votan*. Al parecer, van a tolerar cualquier grado de inhumanidad contra cualquier cantidad de niños, ancianas y madres, abuelos e incluso jugadores de fútbol, si pueden asegurar el voto colectivo de este aterrador electorado.

Afortunadamente, mi introducción a este breve volumen no es acerca de los penosos defectos de nuestros líderes, quienes nunca parecen darse cuenta de cómo nosotros, quienes votamos por ellos, también sufrimos cuando no hacen nada, mientras se crucifica a gente buena —como los Cinco Cubanos—, cuyas conductas podemos comprender plenamente, por tratar de prevenir la destrucción de vidas humanas.

Lo que me afloró a la conciencia mientras leía estas cartas entre padres, hijos y esposos encarcelados, y esposas, hijos y madres tratando desesperadamente de volver a establecer comunicación, fue la comprensión de cuán antigua es en realidad esta historia. Cuando leí estas cartas y poemas y vi los dibujos quedé en contacto con aquellos de nuestros antepasados que experimentaron por primera vez la dolorosa devastación causada por la destrucción de sus familias. Sentí en mi propio cuerpo los largos siglos de esclavitud y el sistemático —para nuestros antepasados, loco— afán de los esclavistas de separar las familias. Con cuánto valor tantos de nuestros ancestros tuvieron que haber defendido, o tratado de defender esta preciosa unidad, la familia. Cuántos siglos tuvieron que transcurrir para casi conquistar la devoción familiar. Lograron eliminar todo sentimiento familiar en algunos de ellos; se convirtieron en zombis que aprendieron a ayudar a sus amos a someter y destruir a otros que estaban esclavizados. Sus descendientes son aquellos que hoy venden, tanto dentro o fuera de sus familias de origen, crack, cocaína u otras drogas adictivas; son también los aliados de los que están en el poder, y ayudan e incitan a aplastar toda vida rebelde y «desobediente».

Hay cientos de miles de padres en prisión en los Estados Unidos, y una gran cantidad de madres también. ¿Qué está ocurriendo con sus hijos quienes con frecuencia siguen el ejemplo de sus padres en una vida de encuentros con la policía, de humillación, pérdida de contacto con la sociedad y encarcelamiento? Cuán indefensos están estos hijos, y cuán despojados del amor y la orientación, derechos de todo infante al nacer.

Cuando se me pidió escribir una introducción para este proyecto no tenía idea de lo que éste me diría. Estaba participando en la Feria Internacional del Libro de La Habana 2004, mi obra *Meridiana* había sido traducida al español e iba a ser presentada. Viajé allá para la ocasión y me encontré que Cuba ahora tiene una tasa de alfabetismo de 100%. Fue impresionante ver a cientos de niños, madres, padres y abuelos; todos parecían apresurarse hacia la Feria del Libro. Ésta se celebró en lo que fue una fortaleza. El salón en el que se presentó mi libro y, más tarde, se sostuvo un diálogo, estaba justo detrás de lo que había sido, durante su vida, la oficina del Che Guevara. Un busto de bronce de él, embellece el recibidor. Mientras me entrevistaban acariciaba sus mechones de metal, divertida, como pienso él lo hubiera estado, de que un espíritu tan inquieto se homenajeara con un monumento como ese. Para mí, el Che sigue rodeado de una auréola de luz, pues él será recordado y servirá de guía para muchas generaciones venideras. Su ejemplo de cómo vivir y morir, ciertamente, debe ser parte del alimento que sostiene a «los Cinco», como se les llama afectuosamente a los cinco cubanos.

La misma determinación que tuvieron para traer a casa a Elián González, es la que parecía tener cada cubano con quien hablé sobre la liberación de los Cinco Cubanos. No hubo una sola conversación que no terminara con la situación de ellos, incluso si se comenzaba con cualquier otro tema. Fue Ricardo Alarcón, presidente de la Asamblea Nacional del Poder Popular, quien me habló acerca de las cartas y los dibujos que se habían convertido en un libro y me preguntó si yo consideraría hacerle la introducción. Aunque apoyo la Revolución Cubana, porque creo en las metas y logros alcanzados por ella —como la educación y la salud gratuitas, la tasa de alfabetismo de 100% y otros—, yo por naturaleza soy cautelosa con los líderes, incluso con aquellos, como Alarcón, que tienen reputación de ser modestos y excelentes. Han sido demasiadas las decepciones. Así, en el momento en que se me solicitó, no me sentí regocijada, aunque estaba profundamente impresionada por la intensidad de la admiración que sentían todos por los Cinco. Ellos son para su pueblo la clase de héroes que, por lo general, se encuentran en la mitología.

Sin embargo, cuando comencé a leer, empecé a ver cuán importante es este libro para nuestro tiempo; *un tiempo en el que hay tantos padres en prisión*. Es este un texto elemental que debe comenzarse a usar de inmediato, para impartir una de las más importantes lecciones: cómo ser un padre, cómo ser un esposo, cómo ser un amante; *cómo actuar como padres,* cuando algo tan grande y tan cruel como el gobierno de los Estados Unidos se interpone entre usted y todo lo que ama.

> Para la fecha en que arrestaron, el 12 de septiembre de 1998, tú apenas habías cumplido los cuatro meses y medio de edad. En la noche anterior tu mami se había ido a trabajar y yo me quedé a tu cuidado. Cuando te di la leche te quedaste profundamente dormida y decidí dejarte sobre mí mientras yo permanecía boca arriba en la cama viendo la televisión. Cuando tu mamá llegó le dio tanta gracia verte así dormida sobre mí —extremidades desparramadas y en la cara tal gesto de satisfacción— que no pudo resistir la tentación de tomarnos una fotografía. Esa es la última en la que aparecemos juntos (...).
>
> Luego vendría el arresto y no pude despedirme de ti ni con un beso. Mi último gesto de despedida, cuando me sacaban esposado de la casa, fue regalar una sonrisa de confianza y optimismo a tu mami. (René González.)

Es esta «sonrisa de confianza y optimismo» la que los hombres luchan por irradiar —desde prisiones situadas en cinco lugares diferentes de los Estados Unidos— sobre sus hijos, mientras aumenta la distancia y los años pasan. Es una calidez, una pasión, un amor extremadamente conmovedor de presenciar, que revela lo fundamental sobre el corazón humano. «Mientras no tengamos el corazón completamente vencido, nuestros hijos continuarán recibiendo noticias nuestras». No hay duda de que llegarán momentos cuando los hijos de estos hombres se pregunten por qué sus padres no estaban físicamente con ellos mientras crecían, ¿son padres delincuentes, irresponsables? Y sin embargo, debido a que existen estos pocos, preciosos documentos, los mismos hijos tendrán pruebas de que, aunque sin la presencia de sus padres, nunca les faltó el amor de éstos. Ser revolucionario significa, por definición, estar dispuesto al sacrificio: del confort, la alegría, la salud y la propia vida si fuera necesario. ¿Pero qué niño quiere ser parte de un sacrificio? ¿Qué niño puede entender la ausencia de un padre que —por tratar de salvar la vida de los ciudadanos de su país— se encuentra ausente de la fiesta de cumpleaños que se celebra al cumplir los diez?

> Cuando pudimos vernos nuevamente ya habíamos visto pasar ocho meses y recién habías cumplido un añito. Estábamos bajo custodia y cuando notaste que me tenían esposado al brazo de la silla habrás pensado que era un perrito, pues comenzaste a decir «guau, guau». Tu mami te trató de sacar de dudas con una expresión que la indignación hizo sarcástica: «No, Ivette, aquí el perro no es tu papá». A pesar de las circunstancias pusimos mantener el ánimo alegre durante toda la visita. (René González.)

Estas personas, estos cubanos —satanizados durante tanto tiempo porque obstinadamente escogieron su propio camino— son simplemente personas, seres humanos. No debe ser necesario destruirlos para que su país sea seguro para las *McDonald's y Starbucks.*

El amor de los cubanos por la educación refleja la pasión con la que los afronorteamericanos han considerado tradicionalmente el conocimiento y el aprender. Mis propios padres, personas muy pobres de los Estados Unidos, casi sin ningún recurso más allá de su determinación, construyeron la primera escuela para los niños negros de mi comunidad. De inmediato, fue quemada hasta los cimientos por terratenientes blancos. Increíblemente, ellos, como los cubanos, no se apartaron de su curso, sino que se las ingeniaron, para de algún modo, erigir otra escuela. Cada vez que pienso en esto, y en los cuarenta millones de personas funcionalmente analfabetas en los Estados Unidos, deseo de todo corazón que los norteamericanos hubieran tenido la buena suerte de tener personas como mis propios padres al frente del país. ¡Qué lugar más diferente sería!

> Es mi papel de padre estar al tanto y siempre educar, aunque sea a distancia. A Lizbeth, mi pequeñuela, como aún no sabe leer, aquí le envío un dibujo con unas ideas y tareas para que le leas. Me gustaría que este dibujo con un patico serio, como cuestionando (donde le pondré tareas que realizará todos los días), se lo pongas encima de su camita, siempre a la vista, para que cada día le recuerde a papá y así educarla en los deberes diarios y embullarla con dibujos y lecturas. (Ramón Labañino.)

> No sé cuándo tu mamá te dará a leer esta carta; ella sabrá escoger el mejor momento. Existe un motivo por el cual yo no he podido ir a verte en tantos años. Espero me disculpes y entiendas por qué antes no te lo había dicho: tú eras muy pequeño para hablarlo contigo (...). Mi anhelo es que tú crezcas como un buen hombre, útil a la sociedad, fiel a una causa valedera y digna. Para ello debes siempre estudiar, porque es el estudio la fuente del conocimiento para dominar y entender el medio que te rodea. Lo más importante es que seas una persona generosa ya que el individualismo y el egoísmo no valen nada. «Aquel que se da, crece». Como le dijo el Che a sus hijos: «Sobre todo, ser siempre capaz de sentir en lo más hondo cualquier injusticia cometida contra cualquiera en cualquier parte del mundo». Sé honesto, sé justo, sé valiente y serás siempre respetado. Ama mucho a tu patria (...) y a tu pueblo. (Antonio Guerrero.)

Es este un libro en que la belleza se aprecia lentamente, en la medida en que el lector comprende de manera gradual la seriedad de lo que se está intentando: nada menos que estar completamente presente en el crecimiento de los hijos mientras se está no sólo ausente, sino encerrado, lejos, en pequeñas celdas de prisión; en un lugar donde hay hielo y nieve.

Hijita, ya el año que viene cumplirás quince años y trataré de que sean los quince años más maravillosos de tu vida. Dime qué planes tienes para celebrarlos, qué desearías hacer, qué planes tiene tu mamá, en fin, todas las ideas que tengas. Preciosa mía, como ya casi eres una señorita es bueno que empecemos a hablar de temas más maduros y serios. Hoy se me ocurre hablarte del amor y sólo quiero darte algunos consejos (...).

Por eso, por mis ausencias, porque no pude estar al lado de mamá durante el embarazo, porque no pude verlas nacer, porque no pude estar allí cuando ustedes abrieron sus preciosos ojitos por primera vez en la vida, porque no pude cambiarles pañales, ni ayudarlas en sus primeros pasitos, ni limpiarles sus «pipis» y sus «cacas», ni ver su primera sonrisa, ni escuchar su palabra, no oír sus primeros «papá» o «mamá», ni el primer «te quiero», ni pude cuidarlas cuando enfermaban, ni jugar a cuanto juego disfrutan los padres con sus niñitos, ni siquiera enseñarles las primeras vocales, o leerles el primer libro, e incluso al hecho de que hoy día mi más pequeñuela apenas me conoce.

A todo, mil disculpas, adoradas mías.

Pero sepan que hube de marchar por el amor a ustedes y a todos. Que donde quiera que he estado y estaré, ustedes siempre están y estarán presentes.

Sean fuertes, muy fuertes para vencer siempre con una risa en los labios cada tarea que enfrenten en la vida. Por mí no teman, estoy bien y soy fuerte, mucho más ahora que me acompañan ustedes, todo mi pueblo y la dignidad del mundo. Yo regresaré, no lo duden, y tan pronto como sea posible, pues las extraño mucho. Y cuando vuelva recuperaremos todas mis ausencias y reconstruiremos todos los sueños y anhelos que hicimos esperar. (Ramón Labañino.)

Estos hombres —como nuestro propio querido Mumia Abu-Jamal, igualmente inocente, igualmente incriminado, también un héroe bajo cualquier criterio, encerrado en el corredor de la muerte durante tantos despiadados años— están demostrando algo extraordinario que no debe ser ignorado por el resto de nosotros: que el continuar amando con profundidad y ternura honra los mayores logros de la Revolución.

ALICE WALKER
Mendocino, California,
21 de julio, 2004

LOS CINCO CUBANOS:
HISTORIAS DE UNA FAMILIA EXCEPCIONAL

Tras la lectura de este amasijo de cartas, fragmentos de diarios, poemas, dibujos y confesiones de las esposas e hijos de los Cinco Cubanos injustamente encarcelados en Estados Unidos, por primera vez sale a flote la verdadera historia de un suceso cuyas claves han sido distorsionadas y, más aún, alevosamente silenciadas.

Quien lea estas páginas —que rompen ese silencio— tendrá una experiencia insustituible pues podrá reconstruir no sólo los hechos más importantes de una cadena de acciones protagonizadas desde el 12 de septiembre de 1998 por René González, Antonio Guerrero, Fernando González, Ramón Labañino y Gerardo Hernández sino que, además, podrá conocer el lado oculto de los sucesos mientras le será dado traspasar los umbrales de una increíble fortaleza de sentimientos; en realidad, una vasta mansión forjada a base de nobles sacrificios y de intensos valores morales de una pureza tan hermosa como conmovedora. Su techo, sus paredes y sus ventanas nos dan una lección de esperanza y amor, de resistencia y desprendimiento, pocas veces presentes en episodios de tanta envergadura política, de tanto patetismo.

Esta es la historia real que bordaron las manos —sutiles y firmes, consoladoras y valientes— de sus primeros receptores, de sus primeras víctimas, de sus primeros dolientes, es decir, de las madres, de las esposas, los amigos más allegados y los hijos de estos cinco cubanos —nacidos aquí o allá— cuya entereza de propósitos y cuyo limpio escudo se nutren de una sola raíz: la de la patria, en la acepción que fuera tan cara a José Martí, el cubano universal, el poeta de *La Edad de Oro*: «Patria es humanidad».

Como infinidad de cubanos de hoy, asomados a una inquietud intelectual sin precedentes, vemos a estos hombres sobreponerse a la adversidad mediante la literatura no sólo en su primer disfrute —que es la lectura— sino en el pleno ejercicio de la escritura que es uno de los más deslumbrantes caminos hacia el mejoramiento de la vida en este asombroso e infinito planeta. Y vemos cómo, desde una celda inicua, estos cinco hombres nos inculcan la imperiosa necesidad de la lectura, o de hábitos tan enaltecedores y edificantes como los de aprender a plantar un *bonsai*; o de apreciar en su justa dimensión a los animales domésticos, no menos subyugantes que cualquier prójimo; o a descubrir los conocimientos que resultan de la práctica de la filatelia, es decir, del aprendizaje para coleccionar sellos postales provenientes de otras latitudes. En fin, un sugerente modo de defender su derecho a soñar; de extinguir el empobrecimiento espiritual que, a despecho de todo el avance tecnológico al uso, aqueja impunemente este desgarrador comienzo de un nuevo siglo y un nuevo milenio.

La poesía que alienta en estos textos no ha nacido de un ideal importado, o de la letra muerta, sino de la propia mano de sus autores; no ha nacido de su vanidad ni de un anhelo de proselitismo o de un didactismo a ultranza; tampoco de un afán literario —bien legítimo, como se sabe, en semejantes circunstancias— sino de una ética integral, asentada en su espíritu ancestral, cimarrón e indomable. Esta poesía nace de la vida misma, de la necesidad de una existencia más plena, del deseo de establecer relaciones más saludables entre mujeres y hombres, más allá incluso de la procreación biológica.

En esta maravillosa espiral coexisten, con un fulgor de estrella, el sedimento insobornable de la familia cubana, una familia excepcional, y el amor a una patria enfrentada desde hace más de cuarenta años al más hostil de los aislamientos posibles sin haber perdido, por ello mismo, esa vocación humanista que recorre el paisaje cotidiano de estas mujeres y estos niños excepcionalmente dotados de una dignidad tan tierna como su entereza; junto a la transparencia y el candor infantiles, plenos de gracia y humor, circula el alma de una nación expresada y defendida, precisamente, a través de sencillas anécdotas cotidianas o a través de estos dibujos que nos recuerdan tanto las geniales razones de los de *El principito*, de Saint-Exupéry.

Aquí no sólo se libra una batalla por la imagen y la dignidad de Cuba sino por la del universo porque con seres humanos como Olga, Mirta, Rosa, Elizabeth y Adriana, no sólo una isla sino un mundo mejor es más que posible.

NANCY MOREJÓN
La Habana, 4 de abril, 2004

INTRODUCCIÓN

Con nuestros recuerdos, nuestros dolores y nuestras esperanzas hemos armado este libro. Revisamos una a una las cartas de nuestros hijos y esposos, sacamos las fotos de los cuadros, lloramos y reímos al volver a vivir los momentos juntos y, al final, hemos reconstruido un diálogo escrito durante años con ellos, cinco presos cubanos injustamente encarcelados en Estados Unidos.

Aunque lo ronda la tristeza, éste no es un libro amargo. Es el testimonio de fe en que la justicia se abrirá paso y ellos volverán a casa, donde son amados por su familia, sus amigos y todos los que luchan por su liberación. Aquí ustedes descubrirán los valores humanos, el altruismo y la ternura de estos hombres que renunciaron a una vida estable junto a sus familias y a permanecer en su país, para defender a su pueblo de actos terroristas, organizados y financiados desde Estados Unidos.

Gerardo Hernández, Antonio Guerrero, Ramón Labañino, Fernando González y René González fueron víctimas en Miami de uno de los procesos judiciales más plagados de violaciones en la historia reciente de Estados Unidos. Desde mucho antes de ser sentenciados se les tildó de espías, aun cuando la fiscalía no pudo presentar una sola prueba que los inculpara y varios generales y expertos militares norteamericanos testificaron que no existía ninguna evidencia de espionaje en este caso. La fiscalía ya no tendría que probar las acusaciones, ni siquiera ganar el juicio, para lograr que los declararan culpables y se dictaran contra ellos las peores condenas por decisión de un jurado y una jueza minados de prejuicios contra Cuba.

Se trata de hombres de nobles ideales que estaban plenamente conscientes de sus actos, especialmente convencidos de la necesidad de hacer lo que hicieron. En este libro aparece reflejada la verdadera naturaleza de estos cinco cubanos y una parte importante de las historias de nuestras familias.

Leerán, por ejemplo, el testimonio del injusto encarcelamiento en Estados Unidos de Olga, la esposa de René, para obligarlo a colaborar con los fiscales, su posterior deportación a Cuba y de la negativa a concederle la visa para visitar a su esposo y acompañar a su pequeña Ivette de apenas seis años de edad y que no ve a su papá desde el año 2000; o del amor de Adriana y Gerardo, que se crece ante dos injustas cadenas perpetuas y la prohibición de las autoridades norteamericanas a que ella lo visite; del dolor de Rosa y Fernando al saber que no pueden ya tener hijos propios; de lo difícil que es para las hijas más pequeñas de Ramón mantener una relación con su papá sin poder tenerlo a su lado; de la fuerza de voluntad de la mamá de Tony para ayudar a sus nietos y a su hijo a enfrentar esta separación. Podrán apreciar hasta qué extremos han sido pisoteados los derechos de estos presos, y cuán difícil ha sido para todos nosotros esta separación.

En los últimos tres años, aquellos que hemos recibido las visas, sólo hemos podido viajar a visitarlos dos veces al año como promedio, aun cuando, de acuerdo al régimen de visitas de sus respectivas prisiones, podíamos haberlo hecho con una frecuencia mayor, de no existir las trabas e impedimentos cada vez más frecuentes que el gobierno de los Estados Unidos impone a nuestras solicitudes de viaje. Ellos y nosotros, estamos sufriendo un castigo adicional al impedírsenos tener un contacto regular.

Este es un libro desgarrador, sí, pero no está hecho con odio, a pesar de cuánto hemos sufrido. Tampoco pedimos aquí nada excepcional para ellos, ni para nuestras familias. Solo la simple y elemental Justicia.

En nombre de todos los familiares:

Mirta Rodríguez, madre de Antonio Guerrero
Adriana Pérez, esposa de Gerardo Hernández
Elizabeth Palmeiro, esposa de Ramón Labañino
Rosa Aurora Freijanes, esposa de Fernando González
Olga Salanueva, esposa de René González

René González Sehwerert

SIEMPRE UNA FAMILIA

Olga Salanueva Arango

Mi esposo, René González Sehwerert, nació en la ciudad de Chicago, Illinois, el 13 de agosto de 1956. Es hijo de cubanos emigrados, que decidieron regresar a Cuba en 1961. Rene (lo llamo siempre así, sin el acento en la segunda e) se hizo piloto instructor de vuelo, y en 1990 regresó a Estados Unidos. Cuando conocí a Rene, yo trabajaba en un departamento de contabilidad del Ministerio de Comercio Exterior. Estudié Contabilidad, y luego me hice Ingeniera Industrial. Tenía una compañera cuyo esposo era profesor de Rene. Nos presentaron porque ellos decían que el día en que nos conociéramos iba a funcionar la química. Y así fue. Yo tenía veintidós años. Nos conocimos en la playa. Nos hicimos novios, y al año nos casamos: el 17 de abril de 1983. Un año después nació Irmita. Ella y yo nos reunimos con él en Miami en 1996.

Allí nació Ivette en 1998, cuatro meses y medio antes de que Rene fuera encarcelado. Después del juicio, él fue enviado primero a la prisión de máxima seguridad en Loreto, Pennsylvania, y luego trasladado a la de McKean, en ese mismo estado. Finalmente, lo asignaron a la de Edgefield, Carolina del Sur, donde sigue encarcelado.

Las autoridades federales me detuvieron el 16 de agosto de 2000, y desde ese día no he vuelto a ver a Rene. Fui encarcelada en la prisión estatal de Fort Lauderdale por tres meses, y deportada a Cuba en noviembre de ese año. En ese momento tenía status de residente permanente en Estados Unidos.

El verdadero objetivo de mi detención fue presionar a Rene para que firmara un acuerdo de negociación con la fiscalía federal del sur de la Florida, en que se declararía culpable y testificaría en contra de los demás acusados. Él no aceptó, y a los pocos días me detuvieron a mí. En cuanto me encarcelaron comencé a escribirle. Nunca le llegaron mis cartas. Evidentemente, esto era para desestabilizarlo emocionalmente, pues él no sabía directamente de mí y era la víspera del juicio.

Durante esos meses de nuestro común encierro, Ivette quedó bajo la tutela de su bisabuela paterna, su querida Tata, que vivía en Sarasota, a 230 millas al norte de Miami. Sólo la pude ver en una ocasión, y separadas por un cristal. Ivette, al igual que Rene, es ciudadana estadounidense por nacimiento. Hace cuatro años que no lo ve, más de la mitad de su vida. A mí, el gobierno norteamericano me ha negado la visa repetidamente. Han violado en mi caso las reglas concernientes al tratamiento de reclusos, la Convención Americana sobre Derechos Humanos, y el artículo 10 de la Convención sobre los Derechos del Niño.

Escribo esto como si les abriera una ventana a nuestras vidas. A través de las cartas de Rene y mis comentarios conocerán todo el impacto negativo que este caso injusto ha intentado tener sobre nosotros y nuestras niñas. Escucharán de un sistema legal que ha personificado su odio hacia Cuba en acciones viles contra un matrimonio y sus dos hijas menores.

Cuando decidí organizar las cartas para este libro me vi ante la gran incógnita de cómo hacerlo. Conservo las cartas de René, pero a él nunca le llegaron las mías en los momentos en que ambos estábamos presos. Se «extraviaron». Por eso nuestra historia aquí se reconstruye a partir de las cartas de él, y mis recuerdos. Sin odios. No sé cuándo volveré a ver Rene y a visitarlo con nuestras dos hijas. Pero, repito, en mi mente no hay odio, porque éste que ha sido el responsable de nuestra separación, no nos ha destruido. Después de cinco años, a pesar de las rejas, seguimos estando unidos y seremos siempre una familia.

Del Diario de René[1]
[fragmento]
FDC-Miami

Tras ser interrogados individualmente, fuimos conducidos al Centro Federal de Detención de Miami comenzando, con

[1] «Preámbulo» escrito por René González para el Diario, el 2 de abril de 2002. [N. del E.]

nuestro encierro solitario en el décimo tercer piso del lugar, que a la sazón no ocupaba nadie más, un tratamiento individualizado y meticulosamente concebido para descargar sobre nosotros todo el rencor de fiscales y dificultar en todo lo posible nuestra defensa, esquema en el cual las condiciones de confinamiento jugarían un rol de peso... Fueron los días más difíciles, sobre todo ese sábado en que en la soledad de mi pequeña celda no podía apartar el pensamiento de mi familia que había quedado atrás, allá en el apartamento ocupado por agentes del FBI [Buró Federal de Investigaciones]. Yo creo que ese momento inicial es el que define tu actitud futura y la forma en que lidiarás con este nuevo reto que te ha planteado la fortuna: o lo mandas todo al diablo, despidiéndote de un doloroso tirón de tu vida y de tanto que hasta ese momento dabas por garantizado, para aferrarte con las uñas, sin pensarlo ni ponerlo en dudas, a tus principios; o te tambaleas y comienzas a buscar excusas para la traición.

Ivette nació en el Jackson Memorial Hospital, el único hospital público del Condado de Miami Dade. Fue inscrita como Ivette González Salanueva. Decidimos que mantuviera sus dos apellidos. Yo también mantuve los míos cuando fui a Estados Unidos, en el año 1996. Rene, que es ciudadano norteamericano, había llegado a la Florida seis años antes. Cuando me otorgaron la residencia me dieron un número de seguro social y me preguntaron cómo quería que apareciera mi nombre. Mantuve mis apellidos, por eso cuando a Rene lo cogen preso, me dijeron que yo no tenía el mismo apellido de él, y que por lo tanto ellos no podían saber, si yo era o no la esposa. Tuve que mandar a buscar a Cuba la copia del registro de nuestro matrimonio, que había desaparecido de nuestra casa el día que los federales se llevaron a Rene para la cárcel.

La primera vez que nos vimos en la cárcel, las niñas eran la prioridad. Fueron muy deseadas. Cuando estaba en estado de Irmita, Rene y yo hicimos un pedido: queríamos una niña, con el pelo oscuro y rizado como el mío, los ojos grandes y claros como los de él; la nariz mía y así, pero cuando ella nació, no tenía nada que ver con el pedido. Salió igualita a Rene. Nos reímos mucho de eso. Irmita se sabía el cuento y lo disfrutaba, pero cuando nació Ivette se puso celosa. Nos decía: «miren, ahí la tienen, como ustedes querían». Irmita tenía ya catorce años y había estado seis años separada de su papá. El reencuentro en Estados Unidos fue muy lindo. Jugaban juntos, la ayudaba a hacer la tarea, le enseñó a montar bicicleta... Ella sintió celos de la hermanita, que exigía más cuidados, pero en cuanto comenzó a cargarla y a darle la leche, se le despertó el instinto maternal. Ella la ve casi como una hijita.

A sus hijas
Diciembre 21, 1998
FDC-Miami

Para mis hijas;
Que no ceje la sonrisa de sus rostros
y radiantes sus efluvios de alegría
derramándose cual mágica energía
a su paso en manantiales generosos
iluminen con sus risas cada día.
Pues su eco, palpitante y estruendoso
a mi alma llegará como elegía
deshaciendo el muro ignominioso
Y ahogando en su belleza mi agonía.

A Olga
[fragmento]
Agosto 16, 2000
FDC-Miami

Amor de mi alma:

Supongo que tenga un millón de cosas que decirte y ni sé si al final alcanzaré a decirte alguna, pues los pensamientos se agolpan en mi cabeza y me siento como en los primeros días de mi arresto hace casi dos años, tal si como al arrestarte a ti me hubieran arrestado por segunda vez. Claro, el hecho de que la experiencia sea repetida ayuda, pues sé que dándole tiempo al tiempo las cosas van tomando su lugar y van dejando de parecer tan terribles como en las primeras horas. Sé que los primeros días son los más malos y que luego se van abriendo las avenidas y van apareciendo las soluciones. Afortunadamente nosotros contamos con una familia excepcional, tanto aquí como en Cuba y todos juntos sabremos enfrentar esto (...).

Ahora que lo pienso no recuerdo haber visto nunca a alguna de mis mujercitas con el rostro huraño en la mañana.

Él me escribió esta carta unos días después de mi arresto. La última vez que lo fui a visitar fue el 13 de agosto, el día de su cumpleaños. Rene me habló de la carta de negociación que le había propuesto la fiscalía. La negociación consistía en no llevarlo a juicio, a cambio de que se declarase culpable y participara como testigo de la fiscalía. Le hicieron notar en el último párrafo el status migratorio de su familia y que yo era residente permanente y podía también ser encausada. Como René se niega a aceptar esa carta, me apresan, tres días después de mi visita a la cárcel. Cerca de las seis de la mañana se presentaron en mi casa dos agentes del Servicio de Inmigración y Naturalización, y uno del FBI. Estaba todavía durmiendo. En mi propia casa me retiran el documento de la residencia y me trasladan al edificio del INS [Servicio de Inmigración y Naturalización], en Miami. La primera pregunta fue: ¿dónde están sus hijas? Irmita estaba de vacaciones con sus abuelos en Cuba. Y la más pequeña, en Sarasota, con la bisabuela Teté. Me dan a entender que yo tengo conocimiento de las actividades de mi esposo, y que, por tanto, mi residencia no es legítima. Ya René llevaba preso dos años. Me trasladaron para la cárcel estatal de Fort Lauderdale, donde el INS rentaba una celda para poner casos federales que, por ejemplo, estaban en Krome y los llevaban allí por indisciplina, o para personas que venían de otras cárceles federales y se quedaban transitoriamente allí para una vista oral. En el traslado hacia la cárcel me preguntan si deseo hacer una llamada telefónica. Llamé al tío abuelo de Rene para que le avisara a la abuelita lo que estaba pasando. También, para que se lo dijera a Rene. La abuela debía estar muy preocupada, porque lo primero que yo hacía cada mañana al levantarme era hablar con ella; tenía entonces más de ochenta años, y cuidaba a la niña entre semana para que yo pudiera trabajar. Rene me llamaba desde su cárcel para «el parte diario». Estaba preocupado. Sabía que podía ser asediada por los terroristas de Miami. En esos momentos todavía no había restricción de los minutos para el teléfono, y se trataba además de una llamada local. También me preguntaron que si quería ver a Rene. Les dije que sí. Me hablaron en español. Adiviné que era una de las pocas oportunidades. A las dos horas de esta propuesta, me llevaron al Centro Federal de Detención de Miami. Trajeron a Rene. Querían demostrarle que estaban cumpliendo su amenaza y que yo, y sus hijas, estábamos a merced de ellos. Rene me miró y me dijo: «Te queda bien el color naranja». Delante de los carceleros, no perdía su sentido del humor. Efectivamente, yo llevaba un uniforme naranja, pero me habían dado probablemente el más sucio y deteriorado que tenían. Trató de tranquilizarme: «No te asustes. Probablemente te sometan a un proceso de deportación para Cuba». Nos dimos un beso y nos despedimos. El 16 de agosto del año 2000 fue la última vez que lo vi. Ese día no lloré, a pesar de que soy bastante llorona. Cuando una está entre amigos probablemente llora, pero frente al enemigo, no. La dignidad te da fuerzas y te endurece.

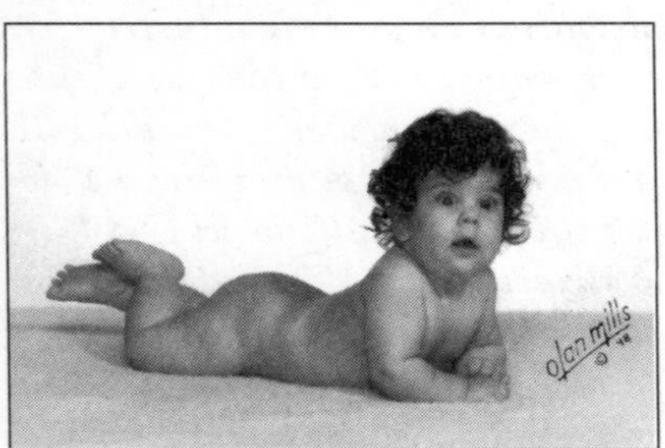

A Olga
[fragmento]
Agosto 16, 2000
FDC-Miami

Acabo de hablar con Philip [Horowitz]. Me contó de su visita junto a Julio a la cárcel de Fort Lauderdale y de todo lo que conversó contigo. Joaquín [Méndez] y [Paul] McKenna[2] también están muy preocupados y al mismo tiempo todos se sienten indignados con esta acción extemporánea, prepotente y, sobre todo, inútil. Pero quiero que sepas que sobre todas las cosas me han expresado su admiración por ti, por tu entrega y por tu dignidad. No tengo que decirte que eso me ha llenado de orgullo y me ha ayudado a sobrellevar mejor este golpe. Yo nunca he puesto en duda tus valores humanos, la fuerza de tu corazón y la firmeza de tu carácter; pero cuando otros se inclinan ante ti y te brindan su reconocimiento eso me hace sentir orgulloso, pues sé que no me equivoqué al hacerte parte tan importante de mi vida. ¡Yo siempre he confiado infinitamente en ti!

Irmita se enteró cuando el tío de Rene llamó a Cuba, y le avisó a la familia. Tomamos la decisión de que Irmita se quedara en Cuba. Mi casa, un pequeño piso rentado, estaba vacía. Antes de que me encarcelaran, trabajaba en una compañía de telemercadeo, vendiendo por teléfono programas para estudiar inglés. Trabajaba de dos y media de la tarde a once de la noche. No podía cuidar a Ivette, y tenía que mantener la casa. Cuando apresan a Rene, la pequeñita sólo tenía cuatro meses y medio. Por suerte, el dueño del negocio donde yo trabajaba me permitió seguir allí, pero no podía faltar ni un día. Por eso tomé la decisión de llevarle la niña a Teté, hasta Sarasota, a 230 millas de Miami. Tenía derecho a visitar a Rene por una hora. Iba el sábado y después, salía disparada para Sarasota. Desde el 12 de septiembre de 1998

[2] Philip Horowitz, Joaquín Méndez y Paul McKenna son los abogados designados por la Oficina del Defensor Público de Miami para asumir la defensa de René González, Fernando González y Gerardo Hernández, respectivamente. [N. del E.]

hasta febrero de 2000 ellos estuvieron en «el hueco» —el régimen de confinamiento en solitario. En ese período no permitían la visita de los niños, supuestamente porque no podían subir a la celda de castigo. Pero esa disposición sólo funcionaba para René. A otros presos los bajaban para que vieran a sus hijos. En esos diecisiete meses de confinamiento, sólo vio a la niña de cerca dos veces. Una en mayo, cuando Ivette tenía trece meses. Ahí estaba sentado, atado con esposas a la silla. No pudo tocar a la niña. La segunda vez, no lo encadenaron. Se dieron cuenta de que se les había ido la mano. En esos diecisiete meses la pudo ver otras veces a través de una ventanita de cristal que había en «el hueco». A la hora en que sabía que yo podía pasar, él se asomaba y miraba hacia abajo. Él estaba en el piso doce e Ivette era un puntico en mis brazos.

A Olga
[fragmento]
Septiembre 1, 2000
FDC-Miami

De todos modos lo importante es que te guste lo que te escribo y que cada página que leas te lleve el mensaje de amor y apoyo que mereces, a veces quisiera tener más tiempo e imaginación para desbordarte de cartas, poemas y mensajes. Me parece poco lo que te escribo para expresarte todo lo que has representado para mí en la última mitad de mi vida y lo que espero representes para todo el resto de mi existencia, pero me consuela saber que cada momento que hemos pasado juntos ha sido un momento para regocijarnos en nuestro amor y hacernos la vida feliz el uno al otro. Estoy seguro de que retomaremos ese camino algún día y seguiremos siendo —como decía Irmita de nosotros cuando nos reunificamos después de seis largos años— como dos novios adolescentes.

Yo también comparto tus ideas en cuanto a que todo tiene solución cuando contamos con tanto apoyo y amor y encima tenemos de nuestro lado la razón y la dignidad. Yo creo que más temprano que tarde todo se resolverá y al final volveremos a estar juntos con nuestras niñas para retomar la vida donde la dejamos con esa capacidad de amarnos que una mitad del mundo, sumada a casi la otra mitad, envidiarían. Me pides mis opiniones sobre el asunto de Ivette y cómo manejaremos eso a la luz de los sentimientos de abuela y Papín [tío abuelo de René]. Yo te voy a decir lo que pienso tal y como más o menos se lo he insinuado a abuela, estoy seguro de que mis palabras no te sonarán extrañas. Por supuesto abuela también me ha hablado con lágrimas en los ojos sobre la idea de que alguien se aparezca a llevarse a Ivette de su cuidado. Yo le he garantizado mi palabra de que algo así nunca va a pasar, y le he dicho que estoy seguro de que tú piensas lo mismo.

Ivette había estado con la bisabuela desde los cuatro meses y medio, hasta los dos años. La abuelita le había tomado un cariño extremo. Cuando supo que yo estaba en un proceso de deportación, me dijo que Ivette se podía quedar con ella, hasta que yo tuviera una casa, un lugar seguro en Cuba. Pero estando en la cárcel no me dijeron que no podía venir con la niña. Me decían que ese proceso era contra mí, que Ivette era ciudadana norteamericana y que se podía quedar en Estados Unidos. Si quería que regresara a Cuba, no podría viajar conmigo. Teníamos que hacerle un poder a otra persona para que la llevara a la Isla. Era un drama, que involucraba también a la bisabuela. Teté no quería separarse de la niña. Decía que el cambio sería muy brusco y se aferraba a la pequeña, con el temor de no verla más, y la niña también la adoraba (y la adora). Pero teníamos pánico de que pudieran tomar algún tipo de represalia con Ivette, y eso lo entendía perfectamente Teté. Finalmente, autorizamos a Irma, la mamá de René, que vive en Cuba, para que fuera a recoger a la niña y la trajera para acá.

A Olga
[fragmento]
Septiembre 1, 2000
FDC-Miami

En cualquier caso también yo le he hecho ver que pase lo que pase la niña seguirá siendo parte de sus vidas y nosotros haremos todo lo que sea posible para eso, en definitiva la niña puede ser traída aquí de vez en cuando y ellos también pueden viajar a Cuba. Por lo pronto va a ser necesario un sacrificio tuyo si al final te vas próximamente, pero incluso abuela tiene un poco de razón en cuanto a que tú estarías más preparada para recibir a la niña después de un tiempo, para organizar tu vida allá, que llevándotela contigo y caer de improviso en Cuba. Yo creo que ese tiempo que tú necesitas es precisamente el tiempo que mediaría entre este momento y el momento en que el juicio termine. Por eso yo le he insistido a Roberto [hermano de René, abogado] en cuanto a la necesidad de que mami venga enseguida, pues yo sé que tú te irías más tranquila sabiendo que además de abuela, mami se encuentra con la niña y permanece aquí en lo que tú te estableces y comienzas a hacer una vida normal. Yo sé que no es nada fácil para ti el irte y dejar a la niña atrás, pero el razonamiento de abuela no deja de tener algo de razón y tú necesitas organizar tu vida. Una vez que mi juicio termine se decidiría qué hacer en caso de que tu regreso a esta [Estados Unidos] se vea impedido por un tiempo indefinido o largo.

Si la decisión es que se vaya contigo, que abuela se pase una temporada allá con todos ustedes y se produzca la transición con todo el amor y la consideración que tanto abuela como Papín se merecen. Yo tengo confianza en la calidad de nuestra familia y en que el amor prevalecerá para resolver esto de la mejor manera entre todos nosotros. Cuando me escribas no dejes de decirme tus opiniones respecto a estas ideas. En cuanto a lo que me dices de que Irmita venga a despedirse yo no tengo objeción, pero al parecer ya por el momento se decidió que no lo haga ahora, supongo que porque ya estaba el curso escolar en sus comienzos y tenía que efectuar la matrícula y demás. Tal vez pudiéramos arreglar un viaje para cuando ella tome vacaciones o algo así, yo por supuesto estoy deseoso de verla y darle un abrazo. De cualquier modo una vez que el juicio termine el panorama se verá más claro en cuanto a esto también.

A Olga
[fragmento]
Septiembre 6, 2000
FDC-Miami

Hace unos días llamé a abuela e Ivette estaba de ganas con el teléfono. Me dijo cantidad de cosas, que se había hecho yaya en la «piernita», que Mama la había curado y le había puesto una almohada, que tú y yo estábamos trabajando, que un niño le había dado en el parque porque lo había abrazado y un montón de cosas más. Lo que más me llamó la atención fue que se expresa como si tuviera cuatro años y pone un énfasis en las palabras que da tremenda risa. Cuando habla me parece estarla mirando y me imagino los gestos que hará mientras enfatiza

Dibujo de Ivette para su papá

las palabras de esa manera. Dice abuela que todo lo habla y lo consulta con todos en la familia. Ayer me dijo que estaba consultando con tía Iris el porqué aquel niño le había dado en el parque.

Ivette es una cotorrita desde que nació. Hablaba los dos idiomas... En ese momento, por supuesto, era ajena al drama de sus padres, aun cuando no nos veía y nos preguntaba con ansiedad cuándo volveríamos. La circunstancia para lograr las visitas era maquiavélica: había que pedirle de favor al FBI para que la niña pudiera ir a verme y esta [la visita] se producía con vigilancia. La abuelita y el tío Papín se dedicaban a enseñarle fotos donde aparecemos René y yo, para que no nos olvidara. Así comenzó a identificarnos, aunque terminó confundiéndolo todo. Papín insistió en las fotos, y le enseñaba una mía a cada rato: «Esta es tu mamá; ella es mama». Ivette terminó confundiéndose y empezó a llamarlo, a él, «Mama». Ese es el «Mama» del que habla Rene en la carta.

A Olga
[fragmento]
Septiembre 7, 2000
FDC-Miami

Hoy fue otra vez día de visita y nos estábamos preparando para la inspección cuando llamaron de nuevo los nombres de los que habían sido visitados. Como hago últimamente miré mi paquetico de caramelos —que no he probado desde que te arrestaron—, me acordé mucho de ti y seguí mi día como de rutina. Pienso que aunque uno se acostumbra a casi todo y aprende a lidiar con los reveses haciendo un esfuerzo y refugiándose en la rutina para hacer como si no ha pasado nada, hay momentos inevitables en los que te acuerdas de que las cosas han ido cambiando tomando un giro dramático. Tengo la impresión de que la visita es uno de esos momentos y no creo que la rutina, el tiempo o la costumbre me harán ver ese instante de una manera distinta. Pero por otra parte no me hace daño que te recuerde con una mezcla de nostalgia y tristeza en un momento determinado de la semana. Tal vez sin yo quererlo —o quizás queriéndolo— la visita se ha transformado en otro «aniversario» como el día que nos conocimos, o cuando nos casamos, o cuando nacieron nuestras hijas o algo así.

Se acostumbró a escuchar su nombre cuando llamaban a los que tenían visita. De pronto eso se cortó abruptamente. Él tenía un paquetico de caramelos de menta que reservaba para mis visitas, antes de que me apresaran. Él se escondía un caramelo en la boca, y me lo pasaba a mí en la visita. Era nuestra pequeña fiesta.

A Olga
[s/f]
FDC-Miami

Olguita:
Este poema, como ves, me lo inspiraron tus visitas sabatinas:

La semana

Yo no sé si los domingos brilla el día
o si el lunes, densas nubes se levantan
yo no quiero ver si el martes, de alegría
en tropel saltan las aves cuando cantan.

En los miércoles no miro el sol saliendo
ni tampoco cuando el jueves deja el cielo
y los viernes, nadie espere que esté viendo
si es el clima de tristeza o de consuelo.

Pero el sábado, el encanto de tu risa
trastocando del encierro su amargura
rompe límpido en mi celda, con la brisa
refrescante de tu amor y tu ternura.

Y te vas, abandonándome a la esencia
que dejó la brevedad de tu estadía
nueva paz, alimentando mi existencia
que me alumbra, por otros siete días.

A Olga
[fragmento]
Septiembre 12, 2000
FDC-Miami

Mi amor:

Como ves estamos de aniversario aunque se trate de uno luctuoso. Justamente se cumplen dos años del día de mi arresto cuando por segunda vez nos vimos forzados a separarnos. Anoche me estuve acordando de cuando el viernes 11 le di la leche a Ivette, que me miraba con esos ojos grandes fijos en los míos mientras chupaba el biberón, y después ella se me durmió en el pecho con las paticas y los bracitos abiertos en esa postura en que nos encontraste para tirarnos esa fotografía tan linda que guardo con tanto cariño. De pronto, todo eso cambió a la siguiente mañana cuando tocaron a nuestra puerta para llevarme detenido. Te voy a confesar algo: la primera vez que me reuní con mi abogado, éste me dijo que el juicio tomaría entre dos y tres años a juzgar por las características de la evidencia. ¡Cuando me dijo eso me horroricé! En aquel tiempo dos años me parecían una eternidad, especialmente en las condiciones de confinamiento que nos habían sido impuestas por aquellos días. Cuán lejos estaba de imaginarme que permanecería cuatro meses en solitaria, diecisiete meses en «el hueco» y que a los dos años te estaría haciendo esta carta todavía en espera del juicio.

El día antes de que se lo llevaran le hice aquella fotografía. El día antes. Había llegado del trabajo, y los vi allí a los tres. Le tiré la foto a Rene. La niña dormía sobre su pecho. Después que tiré la foto, puse la cámara encima de la cómoda. Ahí amaneció. Ahí estaba cuando llegaron los federales, que milagrosamente no se llevaron la cámara. El rollo aún no estaba terminado. Cuando revolvían toda la casa, yo miraba de reojo la cámara. Mentalmente me dije, «déjame no mirarla». Fue su última foto. Nunca nos hicimos una fotografía juntos: él me retrataba a mí y yo a él, nunca juntos. Un día saqué un turno para ir a un estudio y hacernos una, los cuatro. El muchacho que nos atendió, muy amable, nos recomendó que la hiciéramos dos o tres meses después. Ivette estaba tan chiquitica que no se vería en la foto. Retrataríamos un bultico envuelto en un pañal. Nos dijimos: «sí, él tiene razón». Regresamos a la casa y pocos días después a Rene lo detuvieron. Hace cinco años que no tenemos una foto de familia. Si los federales me hubieran llevado aquella cámara, me hubieran quitado un tesoro.

A Olga
[fragmento]
Septiembre 12, 2000
FDC-Miami

Creo que para ambos, o más bien para todos, ha sido una prueba de la que hemos salido fortalecidos moralmente. El tiempo se me ha ido volando y siento que nos ha servido para convertirnos en mejores personas, más maduras, más unidas y más resistentes. Todavía me parece que fue ayer cuando fuimos a la corte por primera vez en medio de aquel gentío e Irmita me saludó con aquella sonrisa de confianza, después vinieron tus primeras visitas en las que vi tus primeras lágrimas, seguidas de otras en que disfrutamos cada hora que se nos concedía separados por aquel cristal. Nunca olvidaré cuando me llevabas a Ivette a la acera para que yo desde el piso doce de este edificio la viera dar sus primeros pasos, o la primera visita de las niñas el 3 de mayo de 1999 cuando ya ella caminaba en punta de pies. Luego vino nuestro traslado a la población general y pudimos vernos en el área de visitas, y tuve la oportunidad de cargar a Ivette, o de abrazarte y darte un beso, y de tomarle la mano a Irmita. ¡Cuántos recuerdos se pueden acumular en dos años! Cuando miro todo esto en perspectiva pienso que al final, como siempre, nuestro amor logrará imponerse y saldremos triunfantes de esta dura prueba, más unidos y queriéndonos más. Algún día cuando miremos hacia atrás todo esto tendrá un valor anecdótico excepcional y será lo que es, una experiencia única a la que supimos vencer con amor, dignidad y el apoyo de tanta gente que puso su corazón al descubierto para mostrarnos su cariño y su confianza, y que sin siquiera preguntarnos o cuestionarse el porqué de esta situación han sabido instintivamente ver por encima de la difamación y la mentira para instruir que nuestra naturaleza humana no compagina con lo que se ha querido hacer ver de nosotros.

Como iba pasando el tiempo, la niña tenía gran ansiedad de vernos. Una vez me preguntó por teléfono si iba a verla en el carro o a pie. «Voy en carro», le dije, y me contestó: «no, mami, el carro tuyo yo lo veo desde la ventana». Y era verdad. Mi carro estaba frente a la casa de Teté. Ella y el tío Papín hablaron con la dirección de la cárcel. Era un asunto puramente humanitario, y le prometieron que la visita se iba a producir en el salón donde los presos se ven con los abogados, para evitar que mediara el teléfono entre la niña y yo. Pero el día de la visita, no apareció la autorización por escrito, ni la persona que había otorgado el permiso. Finalmente, nos vimos a través de un cristal y hablamos por un teléfono. Lo único que se me ocurrió decirle a Ivette fue que eso era un hospital, y que su mamita tenía mucho catarro y si hablábamos por el teléfono ella no se enfermaría. Te imaginarás qué duro, sin poder cargarla, ni tocarla. Ivette preguntó entonces por qué en ese hospital había sheriff. Hasta los guardianes estaban apenados. La niña no lo olvidó. A cada rato recuerda cuando fue a verme al hospital donde estaban los sheriff. Por suerte, ya ha dejado de hablar sobre eso. Ese recuerdo debe estar en su memoria, pero dormido. También, aquella vez en que vio a René atado a una silla. Yo espero que todo eso se borre de su mente.

A Olga
[fragmento]
Septiembre 12, 2000
FDC-Miami

Nosotros, mientras tanto, seguiremos siendo dueños de la risa, del optimismo, de la alegría de vivir y de la satisfacción de haber pasado por todo esto sin arrodillarnos, sin humillarnos, sin ceder ante el chantaje y, sobre todo, sin amargarnos.

Nadie se dará el gusto de decir que logró hacer de nosotros unos resentidos por habernos sometido a su odio inútil. Si acaso me faltara decirte algo sería el darte las gracias por tu amor, por tu apoyo y por haber estado a mi lado durante este

tiempo dándome ese aliento que todavía me acompaña y me acompañará por siempre.

A Olga
[fragmento]
Septiembre 17, 2000
FDC-Miami

Mi amor:

Ayer se cumplió un mes desde el día de tu arresto, la mañana más amarga que he pasado desde que me detuvieron, cuando llamé a la casa y no obtuve respuesta, y luego nadie sabía nada de ti. Todavía recuerdo el sentimiento de alivio cuando me dijeron que te había detenido el INS. ¿No es verdad que todo es relativo? También ese fue el último día que te vi, con aquella indumentaria que te pusieron como para que no quedaran dudas de que estabas presa. Pero aún así, para mí seguiste siendo la mujer más linda del mundo amén de la más digna, lo cual es aún más importante.

Hablé con Irmita y me preguntó si yo tenía la posibilidad de hablar contigo. Yo le expliqué como era nuestra comunicación y le dije que no se preocupara por ti, que estabas bien y que tenía una madre de la que podía sentirse orgullosa. Me dijo que mañana lunes le harían una especie de evaluación para ver si podía comenzar en onceno grado y que ella estaba tranquila al respecto, que una vez que le hicieran la evaluación comenzaría la escuela en pocos días. Le recordé que no dejara de darles vueltas a sus abuelos, y ella me dijo que efectivamente los ve varias veces por semana. En general, la vi de buen ánimo y optimista y siempre le repetí que no se dejara vencer por estas cosas, que lo que más queríamos nosotros era que ella fuera feliz, disfrutara su juventud y sacara buenas notas.

Después llamé a abuela para decirle de la conversación con Irmita y Roberto pero abuela había acabado de hablar con ellos, justo después de que yo colgara el teléfono. Ella estaba un poco llorosa, porque dice que Ivette se volvió loca cuando oyó la voz de Irmita y que tanto Irmita como ella se pusieron muy sentimentales con la reacción de Ivette. Dice que Ivette le preguntaba a Irmita que cuándo ella vendría, que tú le habías dicho que Irmita vendría pronto, etc. Me imagino la carga emocional que habrá sido tanto para abuela como para Irmita oír a Ivette y ver cómo todavía se apega a su hermana mayor.

La relación entre ellas es extraordinaria. Ivette sentía un apego muy especial por Irmita, antes del arresto. Ivette se quedaba dormida en sus brazos y yo trataba de despegarla, y ella se pegaba, y se pegaba. Debe ser la sangre, la afinidad. En cuanto empezó a hablar, la llamó Mita, y todavía le dice así. Irmita es algo muy especial en la vida de Ivette, que cuando hace algún dibujo en que nos pinta a nosotras, pinta a su hermanita y a mí de igual estatura. La ve grande en su vida. Según los psicólogos, significa que no hay distinción en cuanto a cariño que tiene por su mamá y por su hermana.

A Olga
[fragmento]
Septiembre 30, 2000
FDC-Miami

Mi querido amor:

Por supuesto que en cuanto hable con Irmita me sentaré a hacerte unas líneas para decirte sobre esa conversación. Estoy deseoso de que me cuente sobre su nueva escuela y todo lo relacionado con este cambio de ambiente algo brusco —aunque en realidad esto no debe ser nada nuevo para ella.

Irmita había terminado el décimo grado en la High School de Miami. Allí no se adaptó bien. Vivíamos en Kendall, y la escuela de ella estaba en otra localidad, bastante lejos, donde casi todos los niños sólo hablaban el inglés. Se negaba a ir a la escuela, hasta que poco a poco se fue adaptando, sobre todo en la medida en que conoció a latinos y cubanos. Allí no se visita a los amiguitos de la escuela, ni a los vecinos. Tenía que quedarse sola en la casa durante horas, hasta que yo regresaba del trabajo. Se dedicaba a ver televisión, a leer y a estudiar, y comenzó a ser una niña muy introvertida. Por eso ella siempre quiso venir en las vacaciones para Cuba. Después que a Rene lo cogieron preso, me dedicaba a reunir cada centavo para que pagara el pasaje. Por eso es que mi arresto, por suerte, coincide con las vacaciones de Irmita en la Isla. A ella la afectó mucho el encarcelamiento de su papá. Tenía crisis de ansiedad, y le dio por comer indiscriminadamente. Se le empezó a caer el pelo. Cambió su carácter: era más solitaria aún. No conversaba con nadie. Por suerte, en la escuela no tuvo grandes problemas, y hasta recibió la solidaridad de algunos de sus compañeros. Ella fue a la vista de sentencia del juicio de Rene, y salió en la televisión y en el periódico. Algunas de sus amiguitas la vieron y se fueron a la corte sólo para saludarla. No sólo desafiaron lo que decía la propaganda, sino que recorrieron un largo trecho para verla. Fueron desde Miami Beach hasta el Downtown.

A Olga
[fragmento]
Octubre 11, 2000
FDC-Miami

Entre las cartas que te pongo en el sobre está la de Migdalia [compañera de trabajo de Olga en Cuba] que por recomendación de mami te envío y también la del tesoro de nuestra hija, que aunque yo sé que también te escribió a ti, creo que no te viene mal leer la notica que me hizo tan linda y cargada de optimismo y buenos sentimientos. No sé si como dice Migdalia en su carta la metimos en una batidora y la mezclamos bien

para que sacara nuestras virtudes, pero en cualquier caso sé que tiene las virtudes de su mami y con eso me basta. Qué suerte la de tener una hija como ella. A veces me pregunto si hubiera salido tan buena de haber tenido una mamá distinta, pero después me doy cuenta de que para yo tener un hijo con alguna mujer tendrías que haber sido precisamente tú. Cómo fue que di con tu paradero es algo que no me interesa descubrir, pues lo que importa es que te encontré en medio de este mundo que a veces nos parece tan pequeño para algunas cosas y, sin embargo, nos parece tan grande para otras, como el de tener la suerte de encontrar una pareja como tú.

¿Se fijan cómo en muchas ocasiones Rene llama a nuestras hijas «tesoros», «nuestros tesoros»?

A Olga
[fragmento]
Octubre 15, 2000
FDC-Miami

Mi amor:

Hace sólo un rato acabo de hablar con Irmita en Cuba como habíamos acordado hace quince días. Así que no podía esperar para sentarme a hacerte esta carta y contarte mis impresiones de esta conversación. Debo decirte que nuestra hija está muy, pero muy bien. Le noté mucha alegría en la voz y me dijo que le está yendo bien en la escuela, que ha asimilado bien la beca y ha avanzado en las materias en que su base no estaba muy fuerte. Según me dice ya se siente al nivel de algunas de sus amiguitas que por supuesto han dado esas materias. Me dijo que le hicieron un trabajo —creo que se llama intermedio o algo así— de Historia y que sacó 100 puntos. Por otra parte se siente muy apoyada por toda la familia.

Por supuesto, me dijo que te esperaba con muchos deseos y se alegró mucho cuando le dije que Ivette iría contigo para allá. Ella con los buenos sentimientos que tiene enseguida me preguntó sobre cómo abuela y Papín lo habían tomado y yo le expliqué que se estaban adaptando a la idea y que ahora casi toda la familia quería ir a Cuba.

Fui a buscar a Irmita a la escuela, apenas puse un pie en Cuba. Del aeropuerto a la escuela. Ella estaba becada y, por supuesto, no me esperaba. Le habían dicho que me podían traer, pero no sabía cuándo. Nos abrazamos y nos besamos como locas, y fuimos juntas para la casa de mis padres —mi papá tiene ochenta y ocho años y mi mamá ochenta y tres. Ellos no sabían nada de nada. No se enteraron de que estuve presa y no me esperaban. ¿Te imaginas cuando me vieron, tan flaca, metida en aquella ropa que me bailaba y con un maletincito donde venían las cartas de Rene?

A Olga
[fragmento]
Octubre 15, 2000
FDC-Miami

La realidad es que mi correspondencia últimamente está siendo objeto de un tratamiento que raya en el ensañamiento, inclusive el diario de las vacaciones de Irmita que te envié hace unos días se demoró en llegarme más del doble de tiempo que normalmente toma la correspondencia. Definitivamente hay algún plan para mantenernos lo más aislados posible en estos momentos. Pero no te dejes preocupar por eso y escribe como si no pasara nada, eso es lo que yo estoy haciendo y prefiero no pensar qué por ciento de mis cartas te llegan o dejan de llegarte. Recuerda que cuando hay algo que está fuera de nuestras manos en estas circunstancias lo mejor es no dejarse arrastrar por la preocupación al respecto. Lo importante es saber cada uno que el otro está bien y que lo estará por encima de las bajezas que se le puedan ocurrir a nadie.

No tenemos muchas cartas, porque hablaba con él por teléfono y lo iba a visitar todas las semanas, antes de mi arresto. Teníamos un contacto más directo. Empecé a recibir la correspondencia de Rene estando presa. Cuando me apresan, Rene no recibió mis cartas. Al parecer las retenían en la cárcel de él. Algunas me las devolvieron. Otras no le llegaban. Se las empecé a mandar al tío, para que él les cambiara el sobre y las enviara con otro remitente. Tampoco llegaron. Al parecer, había una orden expresa de que no le llegaran mis cartas. Este período mío en la cárcel coincidió con la posposición del inicio del juicio —a mí me deportan el 21 de noviembre de 2000, y el inicio del juicio fue el 27. Es decir, querían mantenerlo en tensión, que no supiera qué había sucedido conmigo. Se supone que una persona que va a comenzar su juicio necesita cierta tranquilidad y no con aquella angustia de qué va a suceder con su mujer, dónde está, cómo está. Es lo que explica el tiempo que me dejan en prisión. Un proceso de deportación es algo rápido y la mayoría de las veces no dura ni veinticuatro horas. Mantenerme retenida por tres meses fue sólo para presionarlo, para chantajearlo psicológicamente. Sin embargo, él decidió sortear aquello escribiéndome, sin saber siquiera si me llegaban o no sus cartas. Nunca pude hablar con él por teléfono. Ni siquiera se nos concedió un encuentro de despedida.

A Olga
[fragmento]
Octubre 16, 2000
FDC-Miami

Sólo me queda decirte que deseo en lo más profundo de mi corazón que no llegues al tercer mes en esa situación. Sé que tú eres fuerte y tienes la moral necesaria para sostenerte allí todo el tiempo que sea, pero no veo la hora en la que por fin estés libre junto a nuestros tesoritos que tienen tanto calor —y lo que no es calor también— que recibir de ti. Ayer, cuando hablaba con Irmita, y sentía esa alegría en su voz, no podía dejar de pensar que entre otras cosas debe de sentirse dichosa de tener la mamá que tiene. En cuanto a mí, no tengo que decirte lo dichoso que me hace el que seas la mamá de mis niñas. Te quiere hasta lo infinito;

tu René

Tenía una compañera en Miami, una peruana muy buena, que fue a verme a la cárcel. Ella se ofreció a hacer algo por nosotros. Como en el trabajo grabábamos la conversación para evitar una demanda del usuario, nos pusimos previamente de acuerdo. La llamé y me grabó una palabras para Rene. Él hizo lo mismo. La llamó a ella, escuchó mi grabación y luego grabó un mensaje de despedida en el que me decía que me amaba, que pronto estaríamos juntos, que cuidara a las niñas, que la fiscalía de Miami quería que nuestra familia estuviera separada, pero que eso nunca lo iba a lograr. Que estábamos juntos, aunque estuviéramos lejos. Fue la única vez que escuché la voz de él mientras yo estuve en la cárcel.

A Olga
[fragmento]
Octubre 23, 2000
FDC-Miami

Ayer mismo en la noche hablé con mami y me dijo que había acabado de conversar contigo. Me contó que le explicaste de la entrevista que tuviste con un funcionario de Inmigración en relación con el proceso de deportación y sobre el procedimiento a seguir una vez que el juez dictara que te fueras del país. Ella me explicó tu preocupación respecto a que tu salida se pudiera dar sin que la niña todavía tuviera sus papeles y estuvimos conversando sobre algunas soluciones, así que no te vayas a preocupar por eso, que cuando se dé tu salida te irás con la niña.

Yo había estado esperando el inicio del juicio, y él sabía que la fiscalía me lo impediría. Por eso tiene la idea de hacer un diario del juicio, para que de todas formas yo participara. Él quería mantenerme lejos de ese ambiente envenenado del juicio. Era consciente de que el gobierno quería disfrutar el proceso de mi deportación, que querían doblegarlo.

A Olga
[fragmento]
Octubre 30, 2000
FDC-Miami

Mi amor:

No puedo comenzar esta carta sin contarte la alegría que tuve ayer de ver a nuestra bebé, tan cariñosa y con esos ojazos que hacen a todo el mundo fijarse en ella. Cuando salí al salón de la visita mami estaba con Mirta [la mamá de Antonio Guerrero] en las máquinas de venta, e Ivette estaba conversando con Margarita [compañera de Antonio] en la mesa que les habían asignado hacia el lado opuesto al de las máquinas. Me dio gracia porque a pesar de que su abuela estaba tan lejos, ella estaba de lo más tranquilita conversando con Margarita como si viviera con ella. En cuanto me vio me partió para arriba y yo la cargué y le di un beso; ella me dio un beso y un abrazo y yo le dije: «¡Estás tan grande!» A lo que ella me respondió: «¡Y *heavy* (pesada)!» Me dio mucha gracia, parece ser que a menudo cuando la cargan le dicen que pesa mucho.

Ella se portó de lo mejor y conversamos bastante, me hizo reír porque habla igual que los muñequitos de la televisión, con las maneras parecidas y la entonación en el idioma. Me contó que su mami estaba enferma, que tenía catarro y por eso no la había podido cargar el día anterior. También me contó sobre un golpe que se dio en la rodilla y que su Tata le curó. En fin, está encantadora y además se portó de lo más bien.

Ya yo había hablado con mami el sábado en la noche y me contó que la tan esperada visita de contacto no se había podido realizar. Yo había estado preocupado con la posibilidad de una visita a través del cristal, pero según me dice todo el que fue, la visita transcurrió de lo más bien y la niña asimiló la explicación de que tú estabas enferma y tenías que cuidarte de no pegarle el catarro. En fin, que después de todo, las cosas transcurrieron satisfactoriamente de lo cual por supuesto me alegro.

La niña tenía dos años y medio. La cargó, y la besó. Fue la última vez que vio a Ivette. Ella duerme con un muñequito que Rene le mandó de la cárcel. Un osito carmelita que un preso cubano tejió para ella. Tiene una bolsita blanca con el nombre de la niña bordado y está relleno de plumas. Ivette dice que es su hermanito. Lo llama Renecito.

A Olga
[fragmento]
Noviembre 11, 2000
FDC-Miami

Me alegró mucho oír en tu mensaje la manera en que has tomado lo de Irmita, creo que en eso coincidimos en un ciento por ciento como verás en la última carta mía. Coincido contigo en que a Irmita, entre otras cosas, le vendrá muy bien estar contigo porque como bien dices ella puede necesitar de alguien que como tú entienda sus ansiedades y sepa guiarla en el arte de avanzar rápido, pero sin atropellarse que representa su puesta al día en los estudios. Tú la conoces bien y tienes razón cuando piensas que tal vez ella se vea un poco presionada al verse en una desventaja relativa y eso le pudiera crear ansiedades innecesarias. Yo le voy a escribir una carta que pondré junto a ésta para que tú se la lleves.

Así que tendrás que trabajar con Irmita para ver cómo ella se va integrando a tu vida sin dejar de acometer su principal tarea que es ponerse al día en los estudios. Se me ocurre que para esto tienen que conversar bastante, debes tener muy en cuenta sus opiniones y palpar sus estados de ánimo, recuerda que ella es muy madura y lo que ella piense y sienta se puede tener muy en cuenta. Bueno, supongo que todo esto te lo digo por gusto, pues tú siempre has tenido una comunicación y una afinidad con Irmita que muchos envidiarían.

Roberto me estuvo hablando de tus ideas respecto al traspaso de la niña de la familia a ti cuando se produzca la deportación. Yo coincido ciento por ciento contigo y comparto tu desconfianza. Pues aunque nunca diría que todos los oficiales del gobierno que he conocido sean gente baja ni mucho menos, tampoco es menos cierto que en ciertas instancias se ha notado la poca honorabilidad de algunos y se impone que desconfiemos. Así que comparto las gestiones que está haciendo tu abogada para que el traspaso de la niña se realice con la participación directa de alguien de la familia y espero que dichas gestiones tengan éxito.

Irmita pudo visitar a Rene en la cárcel después de mi deportación. Es la única que ha podido hacerlo. Ivette no ha podido ver más a Rene, aunque sí ha hablado con él por teléfono. Rene es muy alegre y siempre ve las cosas positivas. A Ivette le encanta que él se ríe muy alto, y a él le causa mucha gracia las cosas de la niña, que sigue siendo muy habladora. Cuando suena el teléfono ella sale corriendo. Si es Rene, enseguida identifica su voz y grita «papito»... Él la deja hablar, le hace preguntas, «le busca la lengua». A él todo lo que ella dice le da gracia. A veces se nota un silencio, un espacio, y después se ríe. Ivette ya sabe muy bien que no puede ver a su papá porque a mí no me dan la visa para visitarlo a Estados Unidos. Pero por otro lado, no muestra desesperación por ir a la cárcel. Ella lo sueña aquí. Todo el tiempo dice «cuando mi papito venga, me llevará al círculo». O «mi papito me impulsa fuerte en el columpio, ¿verdad mami?». O «verdad que mi papá es muy grande y me alcanza aquello», y apunta a un juguete que está en un armario muy alto.

A Irmita
Noviembre 12, 2000
FDC-Miami

Mi querida hija:

No sé cuándo te llegará esta carta. Se la estoy haciendo a tu mami para que se la lleve consigo una vez que se produzca la deportación, lo cual espero que sea lo más rápido posible, pues deseo de todo corazón que ya esté libre en compañía de todos ustedes. No veo llegar el momento en que las tres estén juntas dándose y recibiendo mutuamente ese caudal de cariño de que tan abundantemente están dotadas todas.

También habrás tenido tiempo de ver cómo ha crecido Ivette en estos meses que tal vez te hayan parecido tan cortos, pero que para ella son una parte importante de su vida. Quisiera tener la oportunidad de ver cómo ella reacciona cuando te vea, observar cómo te recuerda y cuánto queda de aquel apego que siempre te tuvo. En cualquier caso sé, que si de alguna manera este tiempo ha de haber borrado de su memoria algo de esa relación tan especial que tuvo contigo, lo recuperarán muy rápidamente, pues como verás ella sigue teniendo esa capacidad de dar amor y alegría que le ha sido inculcada tanto a ella como a ti desde que nacieron.

Creo que es bueno que ustedes estén las tres juntas después de tanto tiempo —casi toda la vida de Ivette— en que de una u otra manera no han podido compartir como familia.

Por otra parte estando juntas van a ser un apoyo y un estímulo las unas para las otras. Cada una de ustedes a su manera tiene necesidad de estar junto a las otras dos para complementarse y ser parte de un núcleo familiar.

[Tu mamá] te conoce como nadie y sabe la manera de dirigirte para que puedas alcanzar los resultados que deseas sin que te atormentes tratando de avanzar demasiado rápido, pero al mismo tiempo sin que pierdas el ritmo necesario para ponerte al nivel de los demás muchachos de tu edad.

Por eso me atrevo a decirte que la escuches y sigas sus consejos.

Lo importante es que te concentres en tus metas, haz lo mejor que puedas sin compararte con nadie y, eso sí, ponte metas intermedias que puedas cumplir y te lleven al resultado final que te propusiste.

Por aquí están todavía las cartas que te hice y que aún no he podido mandarte. Aunque hablamos con Roberto sobre la posibilidad de que las pusiera en el equipaje de tu mami para que ella te las llevara, desistimos de esa idea porque no estamos seguros de que haya alguna limitación en cuanto a la transportación de documentos por parte de ella cuando la deporten, y no queremos que esas cartas escritas con tanto trabajo se pierdan.

Yo pienso que también sea bueno que te lleves el mapa que habías comprado para que lo pongas en algún lugar de la casa que te permita estudiarlo mientras recibes esas cartas y las que seguirán. Como te dije anteriormente una vez que termine el juicio seguiremos con las lecciones de Geografía que te había prometido.

Por otra parte me atrevo a repetirte que no te olvides del Inglés, trata de leer en ese idioma y no tengas pena de hacerlo en voz alta cada vez que tengas la oportunidad.

Se me ocurre que ahora que Ivette va para allá pueden practicar el Inglés juntas. Lo puedes hacer como un juego con ella y así la ayudas a desarrollar ese idioma.

En fin, son sólo algunas sugerencias que se me ocurre les harían la vida más llevadera a las tres cuando estén juntas. Tal vez les parezca que este viejo se ha vuelto un poco mandón en la cárcel, pero lo único que puedo hacer es compartir algunas ideas de cómo pueden sacar provecho del tiempo haciendo algunas cosas que además de útiles les sirvan para unirse más.

Lo importante es que, sobre todo, se sientan bien y sean felices, que aprovechen el tiempo y no pierdan ocasión tanto de superarse como de pasar un buen rato de asueto. Yo no quiero que se vayan a limitar pensando que «si papi estuviera aquí», o que «si papi esto» o «si papi lo otro». Yo lo único que necesito es saber que ustedes están bien, que están contentas, que se sienten útiles y que ríen ante cada oportunidad digna de hacerlo.

Un beso y todo mi cariño,

Tu papi

A Olga
[fragmento]
Noviembre 16, 2000
FDC-Miami

Mi amor:

Te hago esta carta con una rara sensación, nunca antes te había escrito con una vaga esperanza de que no recibas mi carta, al menos por el momento. Supongo que siempre hay una primera vez para algo, sobre todo cuando la vida te ha puesto en situaciones tan atípicas. De todos modos confío en que si no la lees ahora, no tardará mucho, antes de que te la pueda entregar personalmente junto a tantos besos, tantas caricias y tantos mimos que no te he podido entregar durante estos más de dos años y cuya urgencia se ha ido acumulando. No tengo que explicarte que si no quiero que esta carta te llegue se debe sólo a que no veo cuándo llegue el momento en que salgas de ese lugar y te reúnas con nuestros tesoritos en Cuba una vez y para siempre.

Hoy se cumplen tres meses de aquel día en que no pude localizarte por el teléfono y tras tanta ansiedad y preocupaciones supe ¡con alivio! que te habían detenido. Paradójica que es la vida, ¿quién me iba a decir que en algún momento llegaría a desear que estuvieras detenida? Eso es otra muestra de que todo es relativo y de que cuando estamos en una situación mala siempre podemos estar en otra peor.

Un día llegaron por la mañana, y me dijeron «te vas». Le había pedido a mi compañera de celda que, cuando me sacaran, le avisara a Teté, porque habíamos acordado con los abogados que apenas yo saliera para Cuba, detrás se iba la niña. Así fue. Irma, la mamá de René, estaba preparada para salir con Ivette. Me llevaron al aeropuerto internacional de Opa-Locka, en Miami, después de entregarme la ropa con que me apresaron. Había bajado 30 libras en tres meses. Me montaron en un panelito blanco y me trasladaron en un avión militar, con un grupo de excluibles. Me sacaron esposada. También me hicieron fotos, antes de montarme en el avión de regreso a Cuba. En esos tres meses nunca pude hablar con Irmita, ni con mi mamá, ni con la familia de René. Irma regresó a Cuba con Ivette un día después de mi llegada a la Isla.

A Olga
[fragmento]
Noviembre 16, 2000
FDC-Miami

Créeme que he tenido que hacer de tripas corazón para poder asimilar esta idea y que extrañaré infinitamente el simple acto de poder mirar hacia atrás en la sala de la corte y verte a ti tan noble y enhiesta al mismo tiempo, con la dignidad y el amor saliendo a borbotones de tu mirada desafiante, pero yo creo que una de las mejores virtudes que nos han ayudado en esta situación es la capacidad de renunciar de un tajo a tantas cosas, y el no tenerte a ti en el juicio no es más que otro acto de renunciación. Como te prometí antes te mantendré bien informada de todo lo que pase cada uno de los días en la corte.

Todo parece indicar que los deseos de vernos antes de que te vayas no podrán hacerse realidad, pues tu salida se precipita y no he oído nada respecto a la posibilidad de una visita. Si ese fuera el caso, pues será otro sueño al que renunciar. No necesito decirte cuánto desearía verte antes de que te vayas, pero después de haber pasado ambos tantas pruebas durante estos dos años sin dejarnos aplastar, seremos capaces también de sobreponernos a esto, de todos modos siempre hay una compensación por cada sueño no realizado, y en este caso será cuando pueda hablar directamente contigo por teléfono y oír tu voz fresca llenándome de alegría y aliento.

Sé feliz a toda costa. No te permitas un pensamiento pesimista o un recuerdo desagradable, o la huella de una bajeza que alguna vez te hizo vivir un mal momento. Piensa que a todas esas cosas las venciste dentro y fuera de la cárcel a golpe de carácter, de moral y de principios. Apóyate en esa moral y en esos principios para ser feliz y mantener la fe en alto.

No te niegues un momento de alegría, una sonrisa, un juego con las niñas, una reunión familiar... Si algún día la sombra de mi situación se interpusiera para privarte de alguno de esos momentos, ¡espántala! Pues no será mi figura la que está proyectando esa sombra. Como te dije en mi carta anterior, cuando pienses en mí, piensa en cuando nos veíamos en la visita a través de un cristal y yo subía mis pies en el mostrador como tomando el sol.

Ivette hace muchas preguntas. Por ejemplo, por qué está preso mi papi, que es tan bueno. Le dije a Rene que poco a poco ella se iba a dar cuenta de la situación, aun cuando jamás le he hablado de la celda, ni de los carceleros. Cuando íbamos a verlo a la prisión de Miami, nunca le dije que aquello era una cárcel, sino que íbamos a ver a papi a su trabajo. A veces íbamos en una guagua y ella identificaba el Centro de Detención y decía «mami, mira, el trabajo de papi». No quiero añadirle más dolor. Ella sabe que su papá está en un lugar lejos, y por qué. Rene decidió escribirle una carta donde explica su verdadera historia, como si fuera un cuento.

A Ivette
[fragmento]
Mayo 29, 2002
Penitenciaría de McKean,
Pennsylvania

Para mi bebita del alma:

Mi adorada Ivette, hace ya tiempo que te debo esta carta porque tengo muchas cosas que decirte. Han pasado casi dos años desde la última vez que nos vimos y de todos modos nunca hemos podido conversar mucho, a excepción de los primeros cuatro meses de tu vida en los que he de suponer que no me prestarías mucha atención, sumergida como estarías en ese mundo de recién nacida del que nadie guarda memorias.

Ahora tienes ya cuatro añitos y me han dicho que te gusta que mami te lea cuentos, así que te podrá leer esta carta hasta que puedas hacerlo por ti misma, lo cual espero sea pronto.

Quiero que sepas que naciste en una familia muy feliz y en un hogar lleno de alegría, en el que tanto tu llegada como la de tu hermana Irmita constituyeron motivo de regocijo y celebración. Yo me enamoré de tu mami en cuanto la conocí y muy pronto decidimos que formaríamos una familia para toda la vida.

Pero el deber me obligó a venir a este país donde por circunstancias de la vida había nacido, teniendo que separarme de tu mami y de tu hermana cuando esta última tenía seis años. Pasado otro tiempo igual ellas vinieron, así naciste tú en el mismo país en que había nacido tu papi: los Estados Unidos de América.

Ese país es ahora el más poderoso del mundo. Un imperio. Pero no siempre fue así y hubo un tiempo en que era mucho más pequeño, habitado por personas que huyeron de la opresión para fundarlo; no obstante su gobierno cayó en manos de ambiciosos con mucho dinero que fueron expandiendo sus fronteras y su influencia a través de repetidas guerras que han provocado la muerte a millones de seres humanos inocentes, todo para que quienes manejan el gobierno de este país se hagan más ricos. Nunca te dejes engañar. El gobierno de este país es muy malo, uno de los más malos de la historia.

Pero fíjate que siempre me refiero al gobierno y nunca al pueblo de los Estados Unidos, que es un pueblo noble y de buenos sentimientos como todos los pueblos. Uno nunca debe odiar a un pueblo y el de este país ha escrito también páginas hermosas en las ciencias, la cultura y la historia, y algunos de sus hijos han dado hasta la vida por Cuba.

Nosotros tenemos ancestros en este país, norteamericanos laboriosos y trabajadores, y no debemos sentir pesar por haber nacido aquí, debiendo a su vez respeto a sus mejores tradiciones y a sus símbolos. Cuando leas a José Martí verás con qué maestría fue capaz de dibujar tanto las virtudes como las flaquezas de esta gran nación.

Por eso tu papi y tu mami han tenido que sacrificar aquel sueño de estar juntos para toda la vida, sacrificio que también les ha tocado a tu hermana y a ti. Yo tuve que venir a este país para evitar los siniestros planes de esos malos cubanos y luego vino también tu mami; por eso tú naciste aquí casi cuatro meses antes de que yo cayera preso.

Te esperamos con mucha alegría y para nosotros fue como una fiesta cuando supimos que tu mami estaba embarazada. El día antes de que nacieras, tu mamá y abuela Teté me llevaron hasta el aeropuerto donde tenía que tomar un avión para irme de vuelo por una semana; al despedirme tu mami me dijo: «Te prometo que no nacerá hasta tu regreso». Al llegar a Texas y llamar desde el hotel supe que apenas habiéndome dejado en el aeropuerto, a tu mamá le dieron los primeros síntomas del parto.

Cuando regresé de Texas, tras una semana que me pareció eterna, te encontré hecha una mota de pelo negro bajo la cual asomaban esos dos ojazos grandes verde-azulados como luceros.

Nos hiciste muy felices a tu mami, a tu hermana y a mí. Cuando Irmita te cargaba tenías una forma muy peculiar de aferrarte a ella con fuerza, como pegándote a ella, mientras la mirabas fijamente como exigiéndole que no te soltara. Yo te daba la leche acostado boca arriba en la cama y subiendo las rodillas, de manera que te sentaba sobre mí con mis muslos como tu espaldar y así estabas de lo más cómoda. Claro que para mí era de lo más cómodo también.

Para la fecha en que me arrestaron, el 12 de septiembre de 1998, tú apenas habías cumplido los cuatro meses y medio de edad. En la noche anterior tu mami se había ido a trabajar y yo me quedé a tu cuidado. Cuando te di la leche te quedaste profundamente dormida y decidí dejarte sobre mí mientras yo permanecía boca arriba en la cama viendo la televisión. Cuando tu mamá llegó le dio tanta gracia verte así dormida sobre mí —extremidades desparramadas y en la cara tal gesto de satisfacción— que no pudo resistir la tentación de tomarnos una fotografía. Esa es la última en la que aparecemos juntos.

Luego vendría el arresto y no pude despedirme de ti ni con un beso. Mi último gesto de despedida, cuando me sacaban esposado de la casa, fue regalar una sonrisa de confianza y optimismo a tu mami.

El gobierno de este país descargó sobre nosotros toda su bajeza y todo el odio que siente hacia Cuba, imponiéndonos las peores condiciones de confinamiento y castigando también a nuestras familias; de esa manera pasaron meses antes de que pudiera verte y todo lo que podía hacer era mirarte en la acera frente a la cárcel, donde tu mamá te llevaba, y donde desde mi celda en el duodécimo piso todo lo que veía de ti era una mota de pelo negro que a ratos avanzaba y se caía mientras daba sus primeros pasos.

Cuando pudimos vernos nuevamente ya habíamos visto pasar ocho meses y recién habías cumplido un añito. Estábamos bajo custodia y cuando notaste que me tenían esposado al brazo de la silla habrás pensado que era un perrito, pues comenzaste a decir «guau, guau». Tu mami te trató de sacar de dudas con una expresión que la indignación hizo sarcástica: «No, Ivette, aquí el perro no es tu papá». A pesar de las circunstancias pudimos mantener el ánimo alegre durante toda la visita.

Pasarían otros nueve meses antes de que el gobierno, ante las gestiones en corte de nuestros abogados y la posibilidad de un escándalo, accediera a tratarnos como al resto de los presos permitiendo la visita de nuestros hijos.

Durante unos pocos meses pudiste visitarme en contadas ocasiones. Poco después se volvería a manifestar todavía de una forma más baja y cruel el odio de los representantes de este gobierno hacia nosotros: se trató de una carta con la que a través de mi abogado se me sugería que me declarara culpable, recordándome al final que tu mami estaba a merced del gobierno en una clara amenaza de sacarla del país si yo no me plegaba al chantaje de la fiscalía.

Como este fuera el caso, los fiscales cumplieron con su amenaza y tu mamá fue también detenida, quedando así, tú en Sarasota con abuela Teté, Irmita en Cuba y tus papás en dos cárceles de este país. Tu mami estuvo presa durante tres meses antes de ser deportada a Cuba y tu abuela Irma tuvo que venir a buscarte desde allá. Con ella me hiciste la última visita y todavía te recuerdo, perpleja y de pie frente a la puerta que me llevaría de vuelta a mi encierro, como preguntándote hacia dónde se llevarían a tu papito junto a todos esos hombres vestidos igual. Han pasado casi dos años desde la última vez que te vi.

Dos años para un niño de tu edad es mucho tiempo y se puede decir que apenas te conozco. Me cuentan que eres muy despierta, ocurrente y locuaz, algo cabecidura, cariñosa y de buenos sentimientos, un poco intranquila y sociable.

De tus buenas cualidades de hoy nacerán tus virtudes de mañana. Creerás en la sociedad más justa que hasta ahora ha concebido la humanidad. Por varios años estudiar será la principal expectativa que esa sociedad tendrá de ti, y a cambio podrás llegar a ser todo aquello de lo que tu esfuerzo te haga merecedora.

Estás creciendo en un país que no tiene que avergonzarse de su pasado, porque su paso de la opresión a la libertad se produjo de la mano de las tradiciones más generosas y se nutrió de lo más puro y avanzado del pensamiento humano.

Yo no podré estar junto a ti en esta etapa de tu vida, pero sé que creces entre una familia y un pueblo excepcionales que sabrán suplir mi ausencia. De ese pueblo hoy recibes diariamente manifestaciones de cariño y de apoyo que nunca deberás permitir se te suban a la cabeza, pues todas esas manifestaciones son una prueba más de la sensibilidad de ese pueblo que de un mérito excepcional de tu papá. Muchos cubanos han caído heroicamente sin tener siquiera la oportunidad de escribir una carta como ésta a sus hijos y hay que ser muy humilde cuando un pueblo así te honra como héroe.

Y aunque no pueda estar contigo físicamente siempre te acompañaré a través de ese apoyo de nuestro pueblo y de nuestra familia. Yo por mi parte no dejo pasar un día sin pensar en ti, sin que trate de adivinar a cada momento el lugar en que estarás, o qué estarás haciendo o si te sentirás feliz; así que mi pensamiento también habrá de estar acompañándote siempre.

La felicidad y el amor son el mejor antídoto contra el odio. Yo guardo para ti de ambas cosas. A montones. Y cuando volvamos a estar juntos las prodigaré sin medida sobre ti. Y serás para nosotros nuevamente ese lucerito, manantial de alegría, que la víspera de mi arresto se durmiera plácida y satisfecha, junto a mi corazón, sobre mi pecho.

Mil besos y todo mi amor;

Tu papito

Cuando alguien le hace a Ivette ese tipo de pregunta terrible que siempre mortifica a los niños —«¿a quien tú quieres más?»—, ella responde sin vacilar: «por ahora, a mi papá, porque es el que está solito».

Antonio Guerrero Rodríguez

UN PADRE DE ORO

Mirta Rodríguez Pérez

Mi hijo Tony nació en Estados Unidos el 16 de octubre de 1958, en el Jackson Hospital, de Miami. Habíamos emigrado porque mi esposo, Antonio, no encontraba trabajo en Cuba. En noviembre de ese año, vinimos a la Isla a pasar las navidades con la familia y ahí nos encontró la Revolución. Decidimos quedarnos. Tony tenía un mes y cuatro días de nacido cuando llegamos acá, y era gordito, precioso. Le decíamos Tonito, pero a mí se me iba la mano y lo llamaba por un montón de nombres más: Tonito, Tony, Guerre, Nene. Firma sus pinturas con el nombre de Guerre, por el chiqueo de su mamá. Somos una familia muy unida, de muchas ternuras, muy alegre, y él creció en un ambiente de amor, a lo que se añadía su propia naturaleza. Fue lo que se llama un niño bueno. Vivíamos con sus abuelos paternos, con sus tíos y primos, en familia. Él era, entre los tres primos varones, el mediador de la paz. Desde chiquitico optaba siempre por los arreglos pacíficos. Su papá lo regañaba: «fájate, no le aceptes esto o lo otro», y él «no, qué va. Yo lo convencí, le dije esto y aquello». Lo de Tony siempre ha sido el diálogo, lo que no significa que carezca de un carácter fuerte. Estaba muy apegado a su papá, que lo llevaba para arriba y para abajo. Siempre estaban juntos. Pero cuando Tony cumplió los once años, falleció Antonio, que estaba enfermo del corazón. Ahí él decidió becarse y comenzó su vida independiente. Después de terminar la secundaria y el preuniversitario, estudió Ingeniería en Construcción de Aeródromos en la Universidad Técnica de Kiev. Allá se enamoró y al regresar, me puso una nueva frontera: Santiago de Cuba. La mamá de Tonito es santiaguera, y él se fue para esa provincia a trabajar al aeropuerto Antonio Maceo. Después, vino el divorcio. Conoció a la mamá de Gabriel, panameña, emparentada con mi familia y decidió ir a Panamá a formalizar sus relaciones. Se casaron. Gabriel nació en 1992. Fue una etapa dura, de inestabilidad familiar, en la que Antonio seguía de cerca, aún en la distancia, la vida de sus hijos. Tonito y Gabriel se conocieron y empezaron a quererse a través de Tony. La última vez que lo vi «libre» fue en 1998, en que viajé a Estados Unidos para pasar a su lado el Día de las Madres. Hacía cuarenta años que no viajaba a ese país y, cuatro meses después, apresaron a Tony. El drama de la cárcel y del ensañamiento con mi hijo y con sus cuatro hermanos, lo hemos vivido luchando porque se haga justicia, pero también intentando cumplir con algo que para él es vital: atender a sus niños, propiciar el acercamiento entre ellos y, sobre todo, su educación. Verán en las cartas su paciencia, su ternura. Les escribe cartas, los llama por teléfono siempre que puede. Les escribe poemas. Se ha convertido en una obsesión esta relación con sus dos hijos, y es extraordinaria la comunicación que tienen, hasta el punto de que Tonito le cuenta hasta los más mínimos detalles de su vida, como si además de padre e hijo, fueran grandes amigos y confidentes. Con Gabriel pasa lo mismo, aunque es más pequeño y por tanto sus diálogos giran en otra dirección.

Pero en esas cartas nunca les habla a sus hijos de sus problemas en la cárcel. Tony padece de trastornos digestivos, porque es vegetariano y naturalista, y allí, por supuesto, no puede seguir la dieta. El cambio de alimentación lo afectó. Padece una hernia inguinal y una gingivitis no tratada, y lo han sometido a castigos crueles. Por ejemplo, cuando lo trasladaron de la prisión de Miami, a la de Florence, en Colorado, en febrero de 2002, lo llevaron esposado con algo que le llaman «la caja de negra», que es muy incómoda y dolorosa. Fue un viaje muy largo, con cambio de aviones, y había una temperatura de menos cero grado. Solo llevaba un pullóver y chancletas de cartón, y poco después lo metieron en «el hueco», prácticamente sin ropa para abrigarse, impedido de contacto con su abogado y con nosotros, sin poder ver el sol, sin poder escribir. Gabriel no sabía nada de lo que en realidad ha pasado su padre. Se ha ido enterando poco a poco, pero Tonito sí ha estado al tanto desde el principio. En estos días iremos a verlo a la cárcel, y hemos decidido que las lágrimas se quedarán en el hotel, en Cuba, en el avión. Tiene que ser muy feliz este reencuentro, cada minuto que estemos juntos. Después de aquella sentencia bestial de cadena perpetua a finales de 2001, lo hemos visto sólo tres veces, y siempre es lo mismo: cuando me ve, es todo alegría, y me llena de amor y de poemas. La última vez que nos vimos, nos íbamos a despedir justo el 14 de febrero porque regresábamos al día siguiente a Cuba. Como aquí en esa fecha se celebra el Día de los Enamorados, Tonito y yo nos íbamos a poner ropa nueva para la ocasión. «Mañana nos vas a ver de enamorados», le dije. Él se rió: «Yo tengo que venir con la misma ropa, pero me echaré perfume». Siempre tiene una salida de este tipo. Sin embargo, ese encuentro no se produjo. Declararon la cárcel en lock down*, y no nos despedimos. Hasta los pocos momentos de cercanía están marcados por este tipo de incertidumbres. Él es fuerte, y se sobrepone, busca explicación, se aferra al sentido de la justicia y alienta a sus hijos. Pero yo tuve un tiempo en que me puse muy mal. Meditaba sobre la vida y me preguntaba por qué se castiga así a este hijo mío, por qué me castigan. Sentía muertas mis esperanzas. Logré recuperarme y ahora me digo: «No, él va a regresar» como Tony dice en su poema, ese que musicalizó Polo Montañez y que se incluyó en el precioso disco que todos conocen en Cuba. Ha escuchado la canción, porque un día me llamó y yo le puse música al teléfono:*

Regresaré

Regresaré y le diré a la vida
he vuelto para ser tu confidente.
De norte a sur le entregaré a la gente
la parte del amor en mí escondida.

Regaré la alegría desmedida
de quien sabe reír humildemente.
De este a oeste levantaré la frente
con la bondad de siempre prometida.

Por donde pasó el viento, crudo y fuerte,
iré a buscar las hojas del camino
y agruparé sus sueños de tal suerte

que no puedan volar en torbellino.
Cantaré mis canciones al destino
y con mi voz haré temblar la muerte.

A Gabriel Eduardo
[fragmento]
Enero 18, 1999
FDC-Miami

Mi querido Gabriel:

Aquí te envío este chistecito de un personaje llamado «Condorito» y como puedes ver, es muy ocurrente (...). Espero te hayan llegado algunos de los cuentos y dibujos que antes te envié. Todos ellos siempre llevan mi mensaje de amor para ti, y con ellos quiero además demostrarte que siempre estás en mi pensamiento. Recuerda siempre, cuídate mucho, sé obediente con tu mamá y estudia mucho para que tus dibujos y tus cuentos sean siempre muy bonitos. Recibe un beso y todo el amor de tu papá,

Tony

A Antonio
[transcripción]
[s/f]
[Panamá]

Para mi papá con cariño de su hijo Gabriel que te extraña mucho y desea que pronto podamos estar juntos.

A Tony
[fragmento]
Enero 31, 1999
FDC-Miami

Tony:

...se acerca tu cumpleaños, que será el mes próximo, 8 de marzo. Si la cuenta no me falla son trece años. Como pasa el tiempo ¡eh! Pero yo soy feliz de ver tus logros, tus actitudes, tus aptitudes y tu madurez. Ojalá esta cartica llegue en tiempo para decirte ¡FELIZ CUMPLEAÑOS! Y aunque distante sabes que siempre mi pensamiento está contigo. Que lo disfrutes y pases un día feliz, con tus familiares y amigos. Bueno, como siempre te pido te cuides mucho, sé obediente y no descuides el estudio y el deporte. Además no te olvides de tu «papi de oro» que te manda un beso y un abrazo bien grandes. Saludos, abrazos y besos a todos por allá,

tu papá, Tony

A Tony
[fragmento]
Febrero 23, 1999
FDC-Miami

Querido Tonito:

Me he puesto muy contento al ver que todo te va bien en la escuela. Que la pasaste bien en el huerto y te gustó el trabajo que hiciste. Trabajar la tierra es muy sano y útil y uno aprende sobre estos importantes alimentos, cómo se cultivan, cómo crecen, cómo se recogen. Además, uno siempre la pasa bien con los amigos de escuela que participan en este trabajo. Te felicito también por esto. Lo del gimnasio y el deporte también me ha dado mucha alegría y orgullo. Que dediques tiempo a practicar deportes es muy importante para tu salud. Tu mamá y yo también fuimos bastante buenos deportistas, al menos hacíamos el esfuerzo por practicar muchos de ellos, como el baloncesto, el voleibol, y a mí en particular me gustaba mucho el fútbol y también la pelota.

No puedo terminar mi carta sin tocar un punto que quiero hablar contigo, como si estuviéramos frente a frente, con toda atención y buen oído por ambas partes. Cuando uno tiene ya los años (cuando pasamos los doce, sobre todo), nos sentimos ya más crecidos, más independientes, más responsables... Siempre los padres decimos «es una edad difícil, la adolescencia», pero esto creo es más un mito, que una realidad. La base del entendimiento entre dos personas es la comunicación, hablarse, entenderse y respetarse uno al otro (de padre a hijo, de abuela a nieto, de primo a primo y así con todo el mundo). Cuando vas a ir a algún lugar, déjalo saber, a dónde vas, con quién te vas a reunir, qué van a hacer, nada de eso quita que seas menos, ni que tengas menos independencia y madurez que otros que no lo hacen; por el contrario, tanto tú, como tu abuela y tu mamá se sentirían mejor y más tranquilos y confiados uno al otro. Bueno, ya casi voy terminando mi carta, contento de sentirme conversando más extensamente contigo. ¡Falta que nos hace! ¿No crees? Pero yo sé bien que nosotros siempre nos recordamos con mucho cariño, viviendo cada minuto del Parque de

Diversiones o el Zoológico de ayer, en la realidad de hoy que nos hace ser uno para el otro como Padre e Hijo de Oro.

[Antonio]

Toda la vida, desde que nació, lo que mi hijo Tony me ha dado ha sido mucho amor, un amor apoyado por la fuerza y el aliento. Muchas veces hemos tenido que separarnos, desde su adolescencia. No me acostumbraba, ni me acostumbraré; pero sí me ha enseñado a tener la fuerza para sobreponerme a todas las despedidas. Él es fuerte; él es joven; tiene la valentía de los jóvenes. Yo, por vieja, siempre pienso en el tiempo, en lo que me queda, lo que me falta, y él siempre me ha enseñado que nunca piense en eso, que piense en el presente y en lo vivido, y sobre esa base de amor estamos juntos: él, yo y sus hijos.

A Tony
[fragmento]
Junio 21, 1999
FDC-Miami

Mi querido hijo:

Mucho he meditado sobre tu idea y deseo de becarte en una Escuela Vocacional. Me parece una idea muy buena, siempre y cuando tú estés bien seguro que eso es lo que deseas. Como tú conoces yo pasé parte de mis estudios secundarios y el preuniversitario becado en la Escuela Vocacional de La Habana y fueron unos años inolvidables. Te contaré mi historia y mis experiencias que pienso pueden servirte en tu toma de decisión. Tenía yo exactamente tu misma edad, catorce años, cuando, como a ti, se me metió en mi cabeza becarme. Con esto que te cuento pretendo hacerte razonar varias cosas muy importantes. Tal vez te inspires y me digas tus opiniones al respecto. Una vez más te repito, yo confío en lo que tú decidas y siempre puedes contar con mi apoyo, así como un consenso en todo. Sólo deseo que las cosas sean para tu bien y como tú lo deseas. Tu mamá te habrá hecho saber que yo estoy en este momento detenido en un Centro de Detención en espera de un proceso judicial por cargos de los cuales soy inocente. No te voy a hacer toda la historia porque creo no es necesario ni importante, sólo quiero darte la seguridad y la tranquilidad de que yo no he cometido ningún delito, ni he hecho nada por lo cual debamos perder el sueño. Mi salud está muy bien y como podrás ver paso mi tiempo haciendo muchas cosas útiles, cartas, poesías y cuentos que sé, transmiten mi amor y dan alegría.

[Antonio]

Nos tenemos y somos una familia en el más pleno sentido de la palabra. Las pocas veces en que nos hemos visto después de su encarcelamiento, o cuando hablamos por teléfono, tenemos un lema que nos da mucha fuerza: «mucha salud, mucho ánimo y mucha fe». Nos despedimos en nuestras cartas con esa frase y, también, con mucha alegría. Él lo dice en un poema: «que en mi verdad la dignidad cohabita, / que en mi amor la alegría siempre llega».

A Tony
[fragmento]
Junio 21, 1999
FDC-Miami

Hijo:

Estas cosas pasan a veces pero sólo los que cometen actos delictivos deben preocuparse por las consecuencias, los que como yo son hombres inocentes, honrados y buenos se sienten libres y felices donde quiera que estén. Mucho me satisface y me alivia hablar abiertamente contigo. Así tiene que ser siempre entre nosotros y tal como te digo en mis poesías y mis cartas la confianza mutua y la verdad debe siempre reinar entre nosotros. No es menos cierto que ahora tengo limitaciones para enviarte de vez en cuando un presente por tus logros o tu cumpleaños, pero yo sé bien que tú eso lo entiendes sin problema. Sin embargo, nos quedan otros buenos recursos para mostrar nuestro amor y nuestra mutua felicidad y orgullo y esos son las cartas, las conversaciones por teléfono y además cuentos y poesías como nos hemos enviado en estos últimos meses. Yo confío en ti, como te he dicho, sé que en nada cambiará tu alegría, tu felicidad y tu camino por saber este asunto. Es eso en definitiva lo que más yo quisiera de ti en estos momentos y siempre, que estés feliz y orgulloso y tranquilo, que con serenidad y valentía sigas cosechando logros en tu vida. Cada logro tuyo es un logro mío y cada alegría tuya es una alegría mía, así que si tú quieres hacerme feliz, ante todo debes tú serlo ¿Me comprendes? A veces pienso en mi juventud tratando de verte a ti como yo era, porque tú y yo nos parecemos mucho en casi todo.

[Antonio]

Hay algo muy importante en la relación entre Tony y sus hijos, y es la confianza que tienen en que la verdad de los Cinco se abrirá paso. Ha sido importantísimo el optimismo de mi hijo, su voluntad y su firmeza, y la manera en que le cuenta a Tonito y a Gabriel esos pequeños detalles de su infancia, que lo acercan a la vida de sus hijos. Tony era un excelente estudiante, alguien querido por todos, porque quería a todos... Ya era «el poeta», cuando estudiaba en la Escuela Vocacional Vladimir Ilich Lenin. ¿Y quién no quiere a un poeta?

Antonio Guerrero

A Tony
[fragmento]
Junio 26, 1999
FDC-Miami

Tony, queridísimo hijo:

Una inmensa alegría me dieron tu carta y tu postal por el Día de los Padres. Tus palabras llenas de amor de hijo a padre llegaron muy profundas a mis sentimientos y me llenaron de felicidad. Cuando hablamos por teléfono y supe tus notas no sabes cuánta alegría me diste, eso fue para mí como una inyección de felicidad. Pero mi orgullo se hace más grande cuando al escucharte y leer tu carta veo que eres franco conmigo y me explicas cómo cambiaste y has madurado en tu actitud hacia el estudio y las otras actividades extraescolares.

Hoy me levanté pensando mucho en ti y la musa (¿sabes lo que es la musa? Si no, búscalo en el diccionario ¡OK!) me trajo una poesía que he dedicado a ti. Muchas de mis poesías las he escrito inspirado en ti o pensando en ti (...). Cuídate mucho, tal como yo hago. Por aquí tu «PADRE DE ORO» está muy bien en todo, salud y todo lo demás. Espero y deseo que tú lo estés también. Con todo mi especial amor a mi «HIJO DE ORO»,

tu papá Tony

Le conté que le había enseñado a algunos vecinos el poemario que él me envío por el Día de las Madres. ¿Sabes lo que me sugirió? Que organizara una peña de poesía en el círculo de abuelos de mi barrio, para leer los poemas a padres y madres veteranos, como yo. Fue maravilloso. Despertó el amor en los abuelos. De las abuelas sobre todo, que se dieron a la tarea de buscar poesías y de escribirlas ellas mismas. Anualmente celebramos la peña del amor, y él siempre nos manda un poema. Con esas cualidades, con esa paciencia que tiene para todo, con ese amor por sus hijos y por los demás, cualquiera se da cuenta de que mi hijo Tony es incapaz de hacerle daño a nadie.

A Tony
[fragmento]
Agosto 22, 1999
FDC-Miami

Te quería comentar que mis tíos me enviaron dos fotos donde estás tú, Maricarla y Carli [los sobrinos] y me quedé sorprendido de lo alto que estás. Ahora sí comienzo a entender por qué me dices que en el baloncesto obtienes muchas victorias y por lo que veo tamaño tienes y pienso buena habilidad también. Otra cosa que noté en la foto es que nos parecemos bastante, como dice la gente, «no puedes negar que eres hijo de tu padre», pero a decir verdad también tienes parecido con cosas de tu mamá, así que tienes de parte y parte, como es lo normal y justo. Bueno ese parecido va más allá del físico, porque en tu carácter y en tu formación tienes muchas cosas positivas de ambos, como lo son el ser estudioso, inteligente, cariñoso (aunque a veces con su genio, del que también los padres tienen), alegre, responsable, organizado, sociable, etc., etc. (todos los etcéteras buenos).

Si yo pudiera y quisiera darte un consejo que tú conservaras siempre en tu vida y tus acciones, éste fuera, el que siempre fueras una gente sencilla, modesta, capaz de ayudar al que lo necesite y por sobre todo ser justo. Estas cualidades hacen ganar siempre la amistad de la gente y por sobre todo el respeto. La honestidad es la mayor virtud que podemos tener, quien no es honesto no será nunca valiente. Y por último (para no cansarte con mis «teques» de padre) confía y comunícate con tus padres, con tu mamá y conmigo o con algún familiar de tu confianza.

[Antonio]

A Antonio
[fragmento]
[s/f]
[Santiago de Cuba]

Querido padre, estoy muy bien de salud y tengo mucha fe en que todo salga bien, tengo confianza en ti y estoy además muy orgulloso de ti y de tus compañeros. En la escuela obtuve buenos resultados, así por lo visto terminé OK, como tú querías y siempre querrás. Te quiero mucho, mucho

tu hijo, Tonito

A Tony
[fragmento]
Agosto 22, 1999
FDC-Miami

Sabrás que ahora que hablamos de cuentos te diré que Maggie [compañera de Antonio] me envió un libro de cuentos muy interesante y bonito que contiene diferentes cuentos de escritores famosos de la literatura hispana, a los cuales se les llama a veces clásicos de la literatura. Te puedo mencionar algunos y sus cuentos y a la vez recomendarte estos autores. Aquí va la lista (es posible algunos los hayas estudiado en la escuela):

– Miguel de Cervantes (este es el famoso escritor de *Don Quijote de la Mancha*) y el cuento que leí se titula *La fuerza de la sangre.*

– Don Juan Manuel, el cuento se tituló *De lo que aconteció a un mancebo que casó con una mujer muy fuerte y muy brava* (este cuento está buenísimo).

– El cuento *Lazarillo de Tormes*, capítulos I y III, los que son anónimos.

– Pedro Antonio de Alarcón: *El libro talonario.*

– Ricardo Palma: *El alacrán de Fray Gómez.*

– Emilia Pardo Bazán: *El revólver.*

– Leopoldo Alas, *Clarín: El sustituto.*

– Benito Lynch: *El potrillo ruano.*

– Jorge Luis Borges: *La forma de la espada.*
– Camilo José Cela: *Sansón García, fotógrafo ambulante.*
– Juan Goytisolo: *La guardia.*

Pienso que la lectura es un entretenimiento muy bueno y muy útil y uno debe poco a poco hacerse el hábito de leer algún libro. Trato de inculcarte el amor a la lectura, pero la última palabra dependerá de ti. Te digo: una vez que te acostumbres, poco a poco vas a encontrar que muchos libros te entretienen muchísimo y te enseñan cosas muy interesantes.

[Antonio]

A sus hijos
Noviembre 8, 1999
[FDC-Miami]

Cuando te vea

vamos a reparar lo mucho que perdimos
vamos a aprovechar lo poco que nos queda.

Mario Benedetti

Cuántos días y noches transcurridos
que no han sido precisos ni anhelados,
como para encerrarlos con mis sueños,
pero sin ti, todos los he contado.

Sé que vendrá el futuro y vendrán otros
que dejarán atrás este segundo,
otros para trazar un plan de dicha
y definir qué haremos con el mundo.

Sé que vamos a reponer el tiempo,
a zurcir las heridas, los caminos,
aprovechar lo que nos quede, unidos.

Y eso será cuando te vea y me digas:
Todo está como cuando tú partiste,
todo aguardó, como antes, tu llegada.

A Tony
[fragmento]
Noviembre 14, 1999
FDC-Miami

Tony, según me han dicho te vas para la escuela al campo el próximo martes. Espero que estés muy embullado y que disfrutes esa experiencia. No te olvides escribirme y contarme cómo te fue, tus experiencias, qué hiciste allí, qué te gustó y qué no te gustó. Estoy seguro de que tú sabrás cuidarte el asunto del asma y que no tendrás ningún problema. Así que te felicito por tu decisión y me siento contento de que participes en actividades que ayudan a tu formación y madurez. Cuentas que tienes una nueva asignatura que se llama Computación. Hoy día la computación es algo casi vital para todas las ramas de la ciencia e incluso para las letras y trabajos de oficinas, almacenes, contabilidad, economía, estadística, etc. Así que todo lo que puedas aprender de computación siempre será algo muy útil para tu futuro (...). Cuídate mucho. Recuerda ser obediente, ayudar en lo que puedas y siempre piensa bien las cosas antes de hacerlas o decirlas para que te salgan mejor. Siempre te quiere infinitamente,

tu papá Tony

A Tony
[fragmento]
Septiembre 26, 2000
FDC-Miami

Mi querido hijo Tony:

Me imagino que todo te vaya bien en la nueva escuela. Siempre los cambios originan nuevas motivaciones y el salto de la secundaria al pre [preuniversitario] es siempre algo significativo para uno; una nueva escuela, nuevos maestros, nuevos compañeros de aula, en fin un mundo distinto al de la secundaria. Yo confío en que tú continuarás siendo un estudiante de notas sobresalientes y además continuarás participando en todas las actividades. Yo sé que en eso tú no fallas y que tienes tu responsabilidad propia para todas estas cosas. No sé si por fin ya estás en la escuela al campo, sé que por tu problema del asma es esto una prueba dura, pero uno siempre aprende cosas nuevas con esta experiencia y ayuda mucho en tu formación personal el conocer que las cosas no caen del cielo y que el hombre tiene que trabajar para brindar a otros el alimento que tan imprescindible es para la vida. El trabajo forma al hombre y ser vago, ser de esa gente que le gusta vivir la vida fácil, no es nada bueno en la vida y es importante desde joven tener amor al trabajo y valorar su importancia para la sociedad en la que se vive. Pienso que en el trabajo está la felicidad real del hombre y en el aporte que éste pueda brindar a los hombres con quien vive en este planeta. Y te digo estas cosas, que tú seguro sabes, porque pienso que uno cuando es joven debe de ir creando conciencia de las cosas que le rodean y debe saber donde está lo justo, donde está lo humano, donde está lo realmente necesario y útil y no dejarse desviar por una mentalidad consumista, ni por la avaricia, ni la astucia individualista.

[Antonio]

A Tony
[fragmento]
Abril 1, 2001
FDC-Miami

Mi querido hijo:

Tal vez cuando recibas esta carta hayas por fin recibido mi carta anterior, la cual se ha tardado bastante en llegar. Tu carta, la que me enviaste por correo con fecha 19 de febrero, tuvo la dicha de llegar a mis manos y como siempre darme un alegrón tremendo. Tú no puedes imaginar cuánto significan y valen para mí cada palabra tuya de cariño, de confianza y de aliento, ellas me reconfortan, me llenan de felicidad y ocupan un lugar especial en mi mente y en mi corazón. Con cada una de tus cartas yo trato de imaginarte, descubrir cómo eres, percibir cómo te van las cosas, entender tus necesidades y tus gustos. Trato de hacer una idea lo más exacta posible del medio en que vives y cómo te desenvuelves dentro de él, ver cuánto has madurado, a qué le das más valor, a qué te dedicas, cuál es tu responsabilidad. En fin, me hago tantas preguntas y busco en tus líneas tantas respuestas que la lista sería muy extensa. Debo confesarte que soy un padre muy dichoso porque tus cartas son abiertas y elocuentes, son sinceras y espontáneas y sobre todo son muy bien escritas, con mucho amor, por lo que con ellas puedo acercarme a ti inmensamente. Dijo José Martí: «Las palabras han de ser brillantes como el oro, ligeras como el ala, sólidas como el mármol», y así encuentro yo son tus palabras cuando me escribes y cuando conversamos.

[Antonio]

A Antonio
[fragmento]
[s/f]
[Santiago de Cuba]

La familia y yo sabemos que estos son los momentos más tensos y amargos de este proceso, pero ya sabemos que lo debemos enfrentar sin miedo y sobre todo con mucha firmeza y con el pensamiento constante de que algún día la justicia prevalecerá como ha pasado con muchas cosas que se han dado entre allá y aquí, tú sabes. Yo te digo todas estas cosas porque, padre, en la familia todos me han aconsejado y los que siempre llevé en mente fueron tú y mi abuelo, ahora sólo me quedas tú, aún así distanciado te llevo en mi mente aunque no todas tus cosas buenas las sé hacer yo, pero trato a veces de parecerme a ti, tú eres la persona que más yo anhelo y que siempre llevaré en mente. Bueno, padre recibe un beso muy grande y todo mi apoyo. Te adora

tu hijo, Tonito

A Tony
[fragmento]
Abril 1, 2001
FDC-Miami

No hay razón para que te sientas afectado, ni triste, más bien debes sentirte como yo, todo lo contrario, orgulloso y feliz, no importan las condiciones, sabemos vivir con alegría y amor y sobre todo seguimos siendo útiles. Ha sido un largo proceso, por sí sólo el juicio ya lleva setenta y dos días de duración, lo cual lo califica como un juicio largo, pero te puedo decir que ni un solo día me he sentido pesimista, ni un solo día me he sentido triste o deprimido, ni un solo día me he sentido derrotado ni vencido, ni un solo día me he sentido como un culpable en un banquillo de acusado, ni un solo día me he sentido solo, porque sé que corazones como el tuyo han estado, están y estarán siempre conmigo.

Por el contrario, cada día entro en la sala con un optimismo mayor, con una sonrisa mayor, con una mayor seguridad en mí y en todos los que me aman, con una mayor convicción de la justeza de mi causa y sus ideales, con una mayor confianza en la verdad y en el hombre y en la justicia del mundo. Cada día soy más feliz porque cada día es una razón para ser más feliz y para entregar más de uno mismo. Cada día sé que me acerco más a ti, no sólo porque confío en que todo esto llegará un día a su final sino porque en la medida en que el tiempo pasa nos vamos comprendiendo mejor, nos vamos acercando más en nuestra manera de pensar, de percibir la vida, de comprender el mundo.

[Antonio]

Tu Papa
Tony.

A sus hijos
Junio 30, 2001
[Florence, Colorado]

Tú eres

A mis hijos

Tú eres mi mano,
si a lejanos amigos no puedo saludar.
Tú eres mi voz,
si en tribuna de ideas no puedo denunciar.
Tú eres mi risa,
si a la hora más dura no puedo consolar.
Tú eres mi sueño,
si llegado el momento no puedo soñar.

A Antonio
[transcripción]
Agosto 28, 2001
[Panamá]

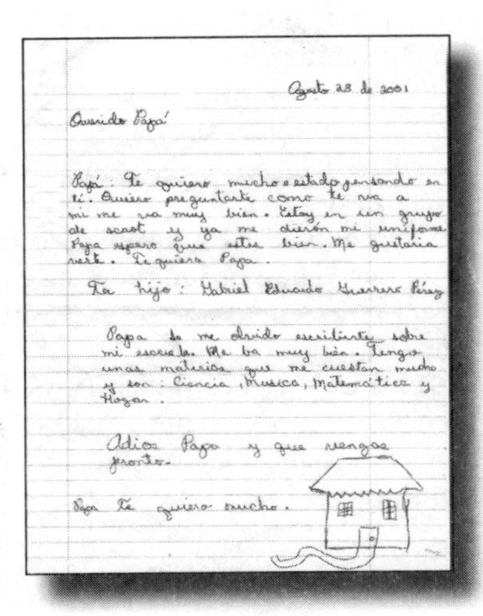
Agosto 28 de 2001

Querido Papá

Papá: Te quiero mucho e estado pensando en ti. Quiero preguntarte como te va a mi me va muy bien. Estoy en un grupo de scout y ya me dierón mi uniforme. Papa espero que estes bien. Me gustaria verte. Te quiero Papa.

Tu hijo: Gabriel Eduardo Guerrero Pérez

Papa se me olvido escribirte sobre mi escuela. Me ba muy bién. Tengo unas materias que me cuestan mucho y son: Ciencia, Musica, Matemática y Hogar.

Adios Papa y que vengas pronto.

Papa Te quiero mucho.

Querido papá:

Papá: te quiero mucho, he estado pensando en ti. Quiero preguntarte cómo te va, a mí me va muy bien. Estoy en un grupo de *scout* y ya me dieron mi uniforme.

Papá, espero que estés bien. Me gustaría verte. Te quiero, papá.

Tu hijo:

Gabriel Eduardo Guerrero Pérez

Papá se me olvidó escribirte sobre mi escuela. Me va muy bien. Tengo unas materias que me cuestan mucho y son: Ciencia, Música, Matemática y Hogar.

Adiós papá y que vengas pronto.

Papá te quiero mucho.

A Tony
[fragmento]
[s/f]
FDC-Miami

Comenzaré comentándote tu carta, hablándote de padre a hijo, como de buen amigo a buen amigo, o a decir mejor, de mejor amigo a mejor amigo, porque eso somos nosotros también. Tal como tú, yo también me pongo a pensar muchas veces en todos estos años que no hemos estado «físicamente» juntos. Digo «físicamente» porque es muy cierto que personalmente no hemos compartido todo ese tiempo, pero «mentalmente» sí hemos estado unidos siempre. El tiempo ha pasado rápido, tan rápido que a veces al mirar para atrás «parece que fue ayer», como dice una canción, que íbamos a jugar al Parque de Diversiones o al Zoológico, pero lo cierto es que yo ahorita en vez de cargarte o llevarte a caballito en mis hombros, eres tú el que me vas a cargar en peso a mí, con tus músculos jóvenes y fuertes. Aquellos años sembraron un amor entre nosotros indestructible, y grande, muy grande. Ese amor como es indestructible, nunca murió, ni muere, ni morirá.

[Antonio]

A Antonio
Septiembre, 2001
[Santiago de Cuba]

Querido padre:

Ante todo quiero decirte que te hago estas líneas llevando en mi mente que hace tres días se cumplieron tres años en la prisión en Miami, donde en ese período has demostrado ser un hombre digno y de alta moral. Quiero comentar contigo lo del terrible accidente de los Estados Unidos, que para muchos ha sido una tragedia muy grande, y que nuestro gobierno está dispuesto a ayudar en lo que sea necesario porque en ese hecho debieron morir y afectarse muchas personas inocentes. En cuanto a la casa me mantengo un poco haragancito, pero bueno, ayudo a mi mamá en lo necesario. Ella te hizo una cartica, y mi abuela Irma te envía muchos besos y que te quiere mucho y se mantiene, bueno no sólo ellas sino todos nos mantenemos con los dedos cruzados para que todo salga como queremos y como quieres tú. Todos los vecinos del barrio te aprecian y fundamentalmente tus viejos compañeros del aeropuerto Antonio Maceo. Te envían saludos y te quieren volver a ver lo más pronto posible. Te extraño mucho y, a veces, un poco triste por lo que puedas estar pasando.

Tu hijo Antonio Guerrero (hijo)

A Antonio
Octubre 29, 2001
[Santiago de Cuba]

Querido padre:

Te escribo esta cartica desde el II Frente, cumpliendo con el plan escuela al campo, y te cuento que estoy muy bien de salud, esforzándome mucho para sobrecumplir la norma que son tres latas de café. Generalmente, por las tardes de los sábados, que son los días que trabajamos media jornada nos ponemos a jugar pelota en la plaza del campamento y las hembras se sientan a ver el juego. Cada vez que yo iba a batear decía: «Aquí viene Antonio Guerrero al bate», queriendo actuar como tú, padre, y mi abuelo Antonio, pero nadie lo sabía, sólo yo, y cada vez que iba a batear pensaba en ustedes dos y la ponía lejos. Aquí no he tenido noviecitas, pero me siento muy bien y con todas me llevo de maravilla, aunque ha habido casos en que una muchachita se me ha acercado a decirme que la amiguita está como decimos «puesta» para mí y yo le he respondido que es mejor esperar un poco para que me dé tiempo a escoger ya que no hay una sola, hay unas cuantas, así que ya tú sabes como es la cosa, hoy pienso «empatarme» con una chiquita, muy bonita por cierto. Leí tus cartas y me dio mucha emoción. A tus compañeros les comentas que me gustó mucho esa bella postal que me firmaron. Te quiere y te extraña.

Tony

A Tony
Diciembre 28, 2001
FDC-Miami

Tony, hijo:

Me siento muy orgulloso de ti porque has asumido una actitud muy valiente y muy digna ante la injusticia de las sentencias de tus cinco padres. Tú estuviste junto a mí cuando me paré a leer mi alegato ayer. Tú siempre estás en mi mente y en mi corazón, como lo está tu hermano Gabriel. Estudia mucho, recuerda que esa es tu principal responsabilidad. No descuides tu educación formal e integral. Ayuda y ama siempre a tu mamá. No te digo más porque sé que estás haciendo lo que tienes que hacer para ser un joven cubano y revolucionario a la altura de estos tiempos. Les das un saludo a familiares y amigos de mi parte, a quienes como a ti les deseo un feliz año nuevo y felicidades por el cuarenta y tres aniversario del triunfo de la Revolución. Un saludo y un abrazo especial de tus CINCO PAPÁS.

Tu papá Tony, tu tío Fernando, tu «supertío» Gerardo, tu tío-padre Ramón y René (el mejor tío).

A Tony
Febrero 17, 2002
FDC-Miami

Tony. Mi querido hijo:

Hemos estado obligados a un largo silencio, ya que desde finales de enero que hablamos, no te he podido llamar otra vez, pero tú y yo estamos ya curados de todo tipo de vicisitudes y sabemos resistir y vencer, porque sabemos que no hay distancia ni tiempo que pueda separar el amor que nos une, ese amor que como tú bien has calificado es un «amor de oro», entre un hijo y un padre que tratan siempre de ser tan valiosos como ese preciado metal. No será muy extensa esta carta pero en mis cortas líneas va mi infinito amor. Un saludo a tu abuela Irma, a tu mamá y demás familiares, vecinos y amigos, para todos un fuerte abrazo. No pueden faltar mis consejos: cuídate, estudia lo más que puedas, ayuda en todo a tu mamá, sé feliz, sé sencillo, sé discreto, sé simplemente tú mismo, no te olvides que para lo que sea tienes aquí a tu «Papá de Oro». El mejor abrazo y beso de tu papá

Tony

A Tony
[fragmento]
Abril 4, 2002
Florence, Colorado

Dijo José Martí: «Cada día, en la vida de los hombres, es una página imborrable de la historia». Por eso vive cada día para dar de ti todo lo mejor y verás que tu presente será feliz y lleno de buenas esperanzas.

[Antonio]

A Gabriel Eduardo
Mayo, 2002
Florence, Colorado

Mi querido hijo Gabriel Eduardo:

No sé cuándo tu mamá te dará a leer esta carta; ella sabrá escoger el mejor momento. Existe un motivo por el cual yo no he podido ir a verte en tantos años. Espero me disculpes y entiendas por qué antes no te lo había dicho: tú eras muy pequeño para hablarlo contigo. Desde el año 1998 estoy preso en Estados Unidos, producto de una injusticia que algún día comprenderás totalmente. Tu padre nunca cometió ningún delito, nunca ha hecho daño a nadie, ni contra nada. He sido un hombre que siempre he actuado correctamente, justo, humano, sencillo y, por sobre todo, leal a mis principios y convicciones. Me han juzgado y sentenciado, cuando todo lo que hice fue luchar contra el terrorismo para evitar daños a Cuba y a su pueblo, y con ello evitar daños a personas de otros pueblos. Mi anhelo es que tú crezcas como un buen hombre, útil a la sociedad, fiel a una causa valedera y digna. Para ello debes siempre estudiar, porque es el estudio la fuente del conocimiento para dominar y entender el medio que te rodea. Lo más importante es que seas una persona generosa ya que el individualismo y el egoísmo no valen nada. «Aquel que se da, crece». Como le dijo el Che a sus hijos: «Sobre todo, ser siempre capaz de sentir en lo más hondo cualquier injusticia cometida contra cualquiera en cualquier parte del mundo». Sé honesto, sé justo, sé valiente y serás siempre respetado. Ama mucho a tu patria, Panamá, y a tu pueblo; así desearía un día llegaras a amar a Cuba y a su hospitalario y heroico pueblo. Espero pronto conozcas a tu hermano Tony. Él te quiere con todo el corazón, como tu hermanito Alex, ya verás. Hijo, ten la seguridad de que nos veremos. Por nada dejaremos de amarnos. El beso y el abrazo más grande para ti de

tu papá

A Tony
[Julio 25, 2002]
[Florence, Colorado]

De tu infancia

Diversiones en un parque,
Caballitos de madera.

Yo te llevé, siendo niño
a dar incontables vueltas
sobre un corcel elegante
una tarde veraniega.

Y recortabas el aire
con tu manita traviesa.
Regresamos de noche
bajo una lluvia de estrellas.

¡Alegrías de tu infancia
que los caminos conservan,
un parque de diversiones,
caballitos de madera!

A Antonio
Agosto 23, 2002
[Santiago de Cuba]

Querido padre:

Te escribo nuevamente para hacerte un relato de cómo fueron estas vacaciones, de cómo voy con Diana, de cómo estoy haciendo las cosas por acá y en fin de los preparativos para la escuela al campo, todo para pasar un agradable tiempo juntos enterándonos de cómo van las cosas. Te cuento que han sido las mejores vacaciones que he tenido después de tu visita a Cuba, y no lo digo sólo porque allí estuvo Diana, sino porque respiré un aire de armonía que me marcó muchos recuerdos y los más emotivos son la primera vez que llegaste a mi escuela y compartiste junto a mí en la graduación de sexto grado y luego nos fuimos para La Habana donde disfrutamos de unas excelentes vacaciones. En la casa, allá en La Habana, escuché algunos de los temas o mejor dicho, los poemas tuyos con música, cantados por distintos cantantes muy distinguidos dentro de la cultura cubana, y me parecieron tan buenos que estoy emocionado, porque tú también los escuches algún día y te pongas tan contento que hasta tires tus «pasillos», sujetando el teléfono y sosteniéndolo en tus oídos ¿qué original, verdad? Te quiere, te sigue y te extraña.

Tu hijo, Antonio Guerrero *(El Junior)*.

P.D.: Lo de *Jr.* es un apodo que me han puesto ¿qué tú crees?

A Tony
[fragmento]
Agosto 24, 2002
Florence, Colorado

Tony, mi querido hijo:
Ya llegan a su fin las vacaciones de este verano. Como te decía en una carta anterior, tengo la seguridad de que han sido

días inolvidables para ti. Me atrevería a decirte que es posible hayan sido los días más significativos que has tenido en tu vida y al mismo tiempo los más importantes. Sólo espero que de ellos, aparte de disfrutarlos mucho, hayas sacado sus lecciones para tu largo camino por andar.

No he hecho otra cosa que cumplir de la forma más natural y correcta mi deber. Lo mismo hubieran hecho millones de cubanos y cubanas en mi lugar porque estamos formados en las tradiciones de quienes han sido héroes reales, guías certeros y altruistas, hombres que como también dijera Martí no miraron de qué lado se vive mejor sino de qué lado está el deber.

No me veas como un héroe, y te pediría no te expresaras de mí como alguien superior a alguien. Mírame como un simple hombre que cumple su deber y como el padre que también cumple su deber de padre al guiar y dar ejemplo a su hijo. Nunca te apoyes en las virtudes mías, ni en las de ninguna otra persona para ser alguien. Sé tú mismo. Es muy importante ser uno mismo y darse a la gente con sencillez, con sinceridad, saber escuchar a las personas, saber ser una mano presta siempre a ayudar a quien lo necesite. Tú y yo somos como dicen nuestros poemas: TÚ ERES la mano, la voz, la risa, la comprensión, el poeta, el sueño que nos representa a cada uno donde estemos.

[Antonio]

Antonio me escribió: «Confía en mí como yo en ti, y siéntete feliz y orgullosa de que tu hijo no te defraudará». Así es, un hijo tierno, un padre amoroso, un hombre de paz. La justicia alguna vez tendrá que abrirse paso y yo tengo confianza en verlo aquí otra vez, por él, por mí, por Tonito y Gabriel, que lo necesitan, por todos los que luchan por su regreso. Estos años de cruel encarcelamiento han sido duros, pero también me han demostrado su valor humano, y ha probado con creces que un padre puede estar muy cerca de sus hijos, aún estando lejos y en las más terribles condiciones. Gabriel no ha podido ir a verlo a la cárcel, pero Tonito, sí. Habría que haber visto aquel primer encuentro. La primera vez que estuvimos juntos —Tony, Tonito y yo—, en Florence, hacía cinco años que el muchacho no veía a su papá. Fue tremendo. Tonito lloró y se abrazaba fuerte a él, que sólo atinaba a decir: «mira a mi hijo», «ese es mi hijo».

A Tony
[fragmento]
[s/f]
Florence, Colorado

Mi amor hacia ti ha crecido, crece y crecerá. ¡Ah! Es verdad que cuando miras alrededor te falta esa gran persona, como tú dices, que soy yo, tu PADRE DE ORO. Pero la ausencia no es real porque tú sabes bien que yo estoy siempre pensando en ti y yo nunca te abandonaré ni te dejaré de apoyar, ni de dar mis buenos consejos. En lugar de verme ausente, mírame siempre presente en cada una de tus cosas, mírame siempre en tus estudios, en tus juegos de baloncesto, en tus reuniones con amigos y familiares, en tus conversaciones con tu mamá, con tus abuelos, con tus primos, con tus tíos. Vamos a llegar a un acuerdo, un acuerdo justo y feliz y además un acuerdo inteligente y útil. A partir de ahora vamos a ser yo «TU PADRE DE ORO Y DE AIRE PURO» y tú «MI HIJO DE ORO Y AIRE PURO». Así pues le agregamos «AIRE PURO» para que cada vez que respiremos sintamos que en el aire estamos uno y el otro y que constantemente viajamos uno por dentro del otro. ¿Estás de acuerdo? Seguro que sí. Me imagino que ya has disfrutado de las fotos de tu hermano Gabriel Eduardo más recientes. Como podrás haber visto ya está mucho más grande y seguro le has encontrado rasgos

similares a los tuyos, porque bueno, independientemente de que él es como tú inteligente, noble y cariñoso, también es bonito y simpático como tú eres. Lo llamo por teléfono, al igual que a ti todos los meses y le escribo cartas y postales, él está bien y le va bien en su escuela.

[Antonio]

A Antonio
[fragmento]
[s/f]
[Santiago de Cuba]

Aunque yo no soy un poeta como tú, pero al menos escribo algo para parecerme cada vez más a ti, porque si hay alguien en este mundo que sirva como ejemplo de enseñanza y ejemplo de poeta, ese eres tú, PADRE DE ORO.

[Tony]

A Tony
[fragmento]
Noviembre 1, 2002
Florence, Colorado

¿Por qué existe el terrorismo? Sobre todo porque el hombre no ama a su semejante, porque el hombre no respeta a quien es un ser como él. Sólo sembrando amor y respeto puede un día terminarse ese odio y ese mal que tanto sufrimiento deja sobre la tierra.

Pero en fin mi hijo, te he dado tremendo teque de este tema tan importante, y con el que sabes tengo una relación, ya que muchos años de nuestras vidas, en los cuales hemos tenido que estar distantes, los he dedicado a la hermosa y digna labor de tratar de evitar esos actos terroristas e impedir que el nuestro y otros pueblos sufran más muertes.

Hace días mi hijo, que quería hablarte de otro tema que creo es muy importante e interesante para ti. Se trata de lo que piensas estudiar en un futuro cuando concluyas tus estudios preuniversitarios. Yo podría darte mis ideas, pero pienso que más que cualquier idea, tu propia inclinación es lo fundamental. Cuando yo tenía tu edad y estaba en medio de esa encrucijada, a la que todos los jóvenes llegamos, fui yo quien decidió qué era lo que iba a estudiar. Tuve el apoyo de mi mamá, que siempre me apoya en todo. Recuerdo que ese año en que yo terminé, sólo habían asignado dos plazas para toda la escuela y eran por cierto las únicas plazas de esta carrera en

todo el país, lo que era una oportunidad especial y una responsabilidad al mismo tiempo. Por mis resultados académicos pude obtener una de estas dos plazas y el día que me vi en la lista que pusieron en un mural, como uno de los dos seleccionados me sentí muy feliz.

Considero que por encima de todo debes ser tú quien decida qué es lo que quisieras estudiar para tu futura profesión.

Pensar de esa forma te ayudará también a entender otra cosa que es muy importante y es, que estudies lo que estudies, tu motivación mayor debe ser la de ser un hombre útil donde quiera que estés. Porque no sólo se trata de alcanzar un título, sino de poder desarrollar lo que uno estudia y eso se logra cuando tenemos bien claro que nuestro primer deber es ser útil donde quiera que estemos y brindar a la causa que se defiende todo de sí mismo.

[Antonio]

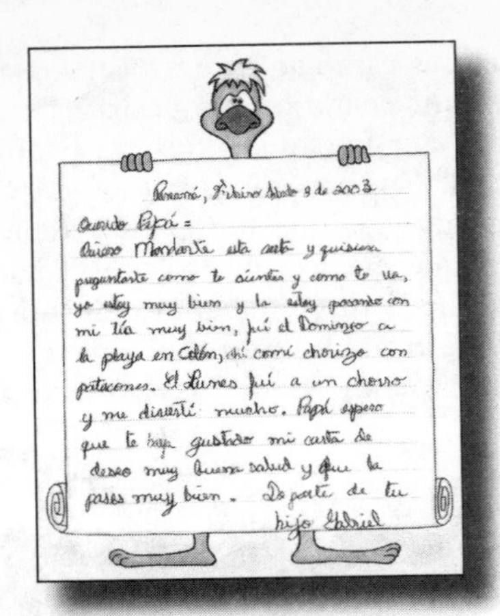

Panamá, Febrero Sábado 8 de 2003
Querido Papá:
Quiero Mandarte esta carta y quisiera
preguntarte como te sientes y como te va,
yo estoy muy bien y la estoy pasando con
mi Tía muy bien, fuí el Domingo a
la playa en Colón, ahí comí chorizo con
patacones. El Lunes fuí a un chorro
y me divertí mucho. Papá espero
que te haya gustado mi carta te
deseo muy buena salud y que la
pases muy bien. De parte de tu
hijo Gabriel

A Antonio
[transcripción]
Febrero 8, 2003
Panamá

Querido papá:

Quiero mandarte esta carta y quisiera preguntarte cómo te sientes y cómo te va, yo estoy muy bien y la estoy pasando con mi tía muy bien; fui el domingo a la playa en Colón, ahí comí chorizo con patacones. El lunes fui a un chorro y me divertí mucho. Papá espero que te haya gustado mi carta, te deseo muy buena salud y que la pases muy bien.

De parte de tu hijo,

Gabriel

A Gabriel Eduardo
Mayo 31, 2003
Florence, Colorado

Querido hijo Gabriel:

Durante este mes no hemos podido hablar mucho por teléfono, porque yo estaba en un área donde no había teléfono y para llamarte tenía que ir muy lejos, y no me daba tiempo por el trabajo y otras actividades de aquí, pero bueno yo siempre pienso que tú estás bien porque sé todo lo que tu mami y Javier te cuidan y tú siempre piensa que yo también estoy bien.

Ya tu familia de Cuba se está preparando para las vacaciones. Están muy contentos porque estés allí con ellos y puedan ir a la playa, parques, restaurantes y demás. Estoy seguro de que te va a gustar mucho estar allí y te vas a sentir feliz. Pienso que algún día no muy lejano nosotros también tendremos unas lindas vacaciones juntos, y vamos a gozar cantidad. De eso puedes estar seguro.

Tu papá siempre te recuerda y te quiere mucho. Siempre que puedas y tengas deseos escríbeme algo, que eso me da mucha alegría, además de saber de tu escuela, tu letra, tus amigos.

Un beso bien grande,

Tu papá

A Tony
[fragmento]
[s/f]
Florence, Colorado

Voy a darte mis opiniones sobre tu reflexión acerca de la necesidad que a veces (o diariamente) sientes de tenerme cerca. Yo te entiendo y también pienso que sería lo más hermoso y feliz para ambos, pero la vida nos separó físicamente, nos impuso la prueba de mantener nuestra unidad en la distancia, de saber ser felices a pesar de esta separación y eso lo hemos venido logrando y lo lograremos cada día mejor, a pesar de que las condiciones puedan ser las más adversas.

Voy a hablarte un poco de mí, sobre cosas que quizás ya sabes pero tal vez te ayuden a ver en un ejemplo, que en la vida tenemos que aprender a echar para adelante por nosotros mismos, y cuando el amor nos rodea y una buena familia nos ampara mucho mejor y más fácil se hace el camino. Tenía yo solamente doce años cuando falleció mi papá, tu abuelo Tony. No puedes imaginarte lo apegados que nosotros éramos. Yo iba con él al trabajo voluntario, al estadio a ver la pelota, se empeñaba en enseñarme a jugar pelota, su sueño pienso era que yo fuera pelotero, aunque por encima de todo me educó a querer la Revolución y a ser un hombre íntegro.

No le temas a los fracasos, ni a las indecisiones. Ellas más que todo nos enseñan, nos hacen madurar, lo cual es un proceso que a mi juicio es de toda la vida. Siempre se aprende algo nuevo porque estamos siempre viviendo cosas nuevas, si no qué sería la vida. Todo es una lección para crecer, así es bueno tomar las cosas buenas y malas.

Cuando comenzamos a ver la vida desde el punto de vista de dar a los demás, de ser útil a alguien, a algo, a una causa valedera, pues de repente nos damos cuenta de que el tiempo apenas nos alcanza para todo lo que queremos hacer y que vemos que es útil y que nos brinda alegría. Cuida de lo que nos rodea: de una flor que para muchos es insignificante, procurar una sonrisa en alguien que la necesita; darle la mano a un amigo que está en apuros, leer un libro que nos enseña algo, ayudar en la casa a nuestros seres queridos, son pequeñas cosas que pueden causar una satisfacción inmensa y que con seguridad nos harán sentir, como te decía, «bien ocupados». Recuerda que las cosas materiales no son las fundamentales.

Comprendo bien lo duro que es para ti tenernos que comunicar con tantas dificultades, pero si hacemos esta comunicación constructiva y contundente nos vamos a sentir llenos y felices con esa posibilidad que tenemos.

Cuando te griten o te pregunten, por ser mi hijo, respóndeles simplemente como un joven revolucionario, con orgullo y sencillez, simplemente hazles ver que tú eres no más que un joven revolucionario de nuestro heroico pueblo que hace lo mejor no por su papá, sino por la propia obra justa y digna que defiende. ¿Te sirvió de algo mi comentario? Eso espero.

Con todo mi amor de padre.

Tu papá Tony

Fernando González Llort

UN SER HUMANO COMO OTRO CUALQUIERA

Rosa Aurora Freijanes

La primera vez que pude visitar a Fernando en la prisión, en Estados Unidos, fue a finales de abril de 2002. Habían transcurrido ya tres años y diez meses sin vernos, y durante veintisiete meses no tuvimos ningún tipo de comunicación. Lo fui a ver a Oxford, Wisconsin, a donde estaba destinado. A él le otorgan puntos para la visita: una cantidad limitada de horas. Por eso viajé a finales de un mes y regresé a principios del siguiente, para aprovechar las horas de visita de los dos meses. A Fernando lo reclasificaron cuando lo estaban trasladando. Inicialmente, iba a una prisión de menos restricciones. Pero lo castigaron una vez más. Lo enviaron a una prisión de mayor seguridad, con condiciones de encarcelamiento más difíciles que las de la prisión a la que originalmente había sido destinado. Cuando lo vi, me conmovió. Estaba mucho más flaco que la última vez que nos despedimos en La Habana. Eso sí, indoblegable, sereno y optimista, con una fuerza que no sabía que poseía. El medio es muy hostil, pero él lo enfrenta con total convicción de la justeza de la causa que defiende. Fernando es un hombre de mediana estatura, de cara redonda y siempre estuvo algo pasado de peso. Había rebajado bastante: 30 libras por lo menos. Imagínate el ambiente: cuando entras a la

cárcel de Oxford —un lugar próximo a Canadá, con nueve meses de invierno y al final de una carretera interminable, donde sólo se ven hileras e hileras de pinos— tú te sientas en una sala fría, descarnada, y esperas a que te traigan al preso. Ellos entran por una puerta que tiene un cristalito a través del cual no se distingue nada, pero igual no puedes dejar de mirarlo. Habían salido dos o tres reclusos, y yo no sabía qué iba a pasar conmigo cuando lo viera llegar: si lloraría, si me pondría a temblar. En eso abren la puerta, y lo veo. Iba acompañado por un policía. El abrió los brazos a todo lo que daba, con una sonrisa de oreja a oreja, y no me dio tiempo a nada. Nos abrazamos y fue todo tan natural, tan lindo, tan despejado, como si nos hubiéramos dejado de ver quince días antes, o él regresara de un viaje a provincia. Se acabaron mis angustias, y a estas alturas no sé si lloré o no. Creo que no me dio tiempo. Lo único que recuerdo de ese momento es su sonrisa y su alegría. Nunca se quejó. No encuentras una sola queja en sus cartas. Estaba ávido de saber cada detalle mínimo de mi vida, y me hablaba en un tono muy suave, sin dramatismos. En esa primera visita no hablamos de los niños que queríamos tener.

A Rosa
[fragmento]
[s/f]
FDC-Miami

Mi flaca:

...te quiero explicar también que en caso de que se presente una oportunidad yo enviaría esta carta a pesar de que no tengo todavía escritas las del resto de la familia. Las razones son obvias, me interesa que todo lo que te comento aquí te llegue lo más rápido posible y esta carta está bien extensa, lo que unido a mi ocupación en las cuestiones de la sentencia no me ha permitido todavía escribirle a la otra parte de la familia. Quiero que les expliques eso si llegara a pasar lo que te comento en este párrafo y que compartas con ellos las cosas que sé que a ellos también les inquietan y desean comprender.

No se me escapa que el próximo día 25 de diciembre es tu cumpleaños. Yo sé que tú quisieras que no pasaran los años pero eso es inevitable. Una vez más pasamos esa fecha separados físicamente pero eso no va a impedir que te desee toda la felicidad que te mereces en un día como ese y te reitere la seguridad de que tendremos tiempo para recuperar lo que la separación física nos haya impedido disfrutar juntos.

Esa separación no va a impedir que te siga queriendo cada vez más, que te admire por tu fuerza, tu resistencia, tu compañía y comprensión...

Todas las cartas las revisan. Todas las llamadas telefónicas las escuchan. Por eso nos contenemos. Nuestra vida íntima no pasa por ahí. Me digo: cuántas cosas tengo todavía que decirle; cómo le voy a contar esto o lo otro... A veces entramos en debates fuertes: soy una persona que me cuesta mucho trabajo expresar mis sentimientos abiertamente. No me siento cómoda. Pero frente a frente sí me desbordo, y no ha sido coyuntural ese tema lógico en una pareja que se ama: tener nuestros hijos. Queríamos tenerlos, pero criarlos juntos. Quien conoce a Fernando sabe que le gusta tener el control de la familia, participar de las experiencias que son vitales para la vida en común. Hablamos de eso en la prisión y decidimos tenerlos, contra todas las banderas. Aun cuando él estuviera encerrado tan lejos de casa.

A Rosa
[fragmento]
[s/f]
FDC-Miami

Mi amor:

Con comentarme sobre las situaciones que enfrentas no te estás quejando, ni estás pidiendo auxilio, estás buscando la opinión de quien comparte la vida contigo, quien te va a apoyar como le permitan las circunstancias, quien se va a alegrar cuando te vea avanzando en la solución de las dificultades y quien te va a comprender cuando la solución no sea posible por el momento.

A Rosa
[fragmento]
[s/f]
FDC-Miami

Mi amor:

Todavía el asunto de la lista de visitas y del matrimonio no se ha resuelto. En el caso de la inclusión de ustedes en la lista de visitantes, yo creo que la gente de aquí está totalmente equivocada. El *Unit Manager* que estaba a cargo de ese asunto, ahora se trasladó hacia otro trabajo, en otro lugar, y no hay nadie nombrado oficialmente para eso. Voy a tratar una vez más ese asunto cuando vaya a mi reunión semestral con el *Unit Team*, que debe ser próximamente. También está la gestión del Cónsul, que se dirigió a las autoridades de esta institución y se brindó para dar cualquier información que se requiera. Si esa gestión no es escuchada, habrá que recurrir a procedimientos de reclamación administrativa. Yo tengo la esperanza de que se va a resolver.

En cuanto a la boda, estoy empezando a considerar que lo más práctico es casarnos por poder. Después de todo nosotros no necesitamos mucho y estamos preparados para cualquier cosa. Lo importante es la legalización y formalización del matrimonio. Lo otro —que nos case el Cónsul— fue una idea que era más bonita y deseable, pero le están poniendo muchas trabas.

Fernando y yo vivimos juntos desde junio de 1990, pero no estábamos legalmente casados. Tuvimos que hacer mil trámites para casarnos en la prisión. Un trámite puramente formal que demoró meses. Él había empezado a hacer las primeras averiguaciones legales a través del Cónsul, sin decirme nada. Quiso darme la sorpresa. Cuando me enteré sentí una oleada de sentimientos, tristes y alegres al mismo tiempo. La alegría de una decisión que más allá del hecho formal, expresa una resolución, una fe, un amor. Pero era, también, la voluntad de una persona que está condenada a diecinueve años de encarcelamiento. Dejó en mis manos la opción de aceptar o no, sabiendo a lo que nos enfrentamos. Mi respuesta fue, por supuesto, el sí, pero para que tengas una idea de las amarguras que pasamos, él me contó que cuando le comunicó al oficial que lo atiende en la prisión que se quería casar, el hombre lo miró con extrañeza y le dijo con

la mirada: ¿habrá alguna mujer que se quiera casar contigo, un hombre condenado a diecinueve años de cárcel? De todas formas, él estaba ilusionadísimo. Quería que el Cónsul nos casara durante mi visita. Quería una pequeña ceremonia íntima, una fiesta para tres. Eso no pudo ser. Tuvo que hacer un poder notarial en la prisión y enviarlo al Departamento de Estado, para que lo remitieran a su vez a la Sección de Intereses de Cuba en Washington. Luego, en la Isla, la abogada de la familia representó legalmente a Fernando y en una notaría se consumó el matrimonio. Fue un frío trámite de rigor, lejos de lo que él quería. De todas formas yo lo sentí aquí, cerquita, como si estuviera a mi lado.

No olviden que las dificultades son tremendas hasta para ir a verlo, que depende no sólo de que me den la visa, demorada a veces durante meses y meses, como ahora mismo que llevo esperando muchísimo tiempo por una respuesta. No sólo vivo esa incertidumbre y amanezco todos los días con la angustia de si habrá por fin noticias, sino que necesitamos un permiso del Buró Federal de Prisiones y de las autoridades de la prisión para ver a Fernando. Ni su mamá ha sido registrada en la lista oficial de visitantes. Su propia madre, un absurdo, un ensañamiento totalmente injustificado. Ahí es cuando empieza él a hablarme en otro tono: siente que va a ser imposible que nos permitan tener un hijo en semejantes condiciones.

A Fernando
[fragmento]
Enero 29, 2001
[La Habana]

Fernan:

...estás presente hasta en esta casa nuestra, a donde aún no has llegado, y sin embargo, te he visto hacer un café, porque a mí me queda mal, o traerme un vaso de agua que siempre te pido, viendo entre los dos un programa de televisión que comentamos después. Siempre que hablamos me pides que me cuide, no te preocupes, que lo hago y mucho para ti...

A Fernando
[fragmento]
Mayo 1, 2001
[La Habana]

Fernan, ¿quién dice que me ha faltado tu apoyo? Yo te he sentido todo este tiempo alentándome para emprender todo cuanto me he propuesto, cuando me he visto ante una situación difícil has sido tú con tu ejemplo quien me ha ayudado para enfrentarlo y seguir adelante; o es que no te acuerdas que cuando hablábamos, por ejemplo, de mi trabajo, tú mismo me decías que podía hacer otras cosas que me interesaran más, eres tú quien me alienta y me ayuda, mi amor, cuando voy hacia delante no sólo pienso en mí, sino en nosotros porque cuando logro algo para mí yo sé que eso es una alegría para ti porque sé cuanto me quieres y yo te quiero con esa misma fuerza, mi vida. Tú eres mi verdad y mi amor, puro, digno, leal y nada ni nadie puede hacer nada contra esto, no porque estemos distantes estamos separados. Yo me siento junto a ti, cuenta conmigo, mi vida. Yo estoy agarrada de tu mano y no me voy a soltar por nada del mundo, sigue apoyándome como hasta ahora y no habrá una mujer más feliz que yo en toda la tierra.

A Rosa
[fragmento]
Junio 4, 2001
FDC-Miami

Corazón:

Las cartas todas van a salir juntas mañana y me percato que te llegarán alrededor del día 14 de febrero, o al menos eso espero. No quiero dejar pasar la ocasión para expresarte cuanto te admiro por tu comprensión infinita, tu paciencia para lidiar conmigo y la manera en que siempre me has apoyado incondicionalmente. Puedes estar segura de que ninguna separación va a hacer que deje de quererte y admirarte. Yo sé que debes estar pasando momentos de incertidumbre y a veces te sentirás triste momentáneamente, pero no dejes que el «gorrión» te agarre. Mantente optimista. La vida sigue su camino, el tiempo pasa y saldremos más fortalecidos de esta prueba. No hay nada que pueda contra nuestro amor. Recibe todo mi cariño en este Día de los Enamorados, mi admiración y todo mi amor. Un beso de tu eterno enamorado,

Fernando

De todos los momentos de mi día
aquellos que comparto contigo
son los que más significan para mí,
no importa lo que hagamos...
De todos los recuerdos felices
que conservo en mi corazón,
aquellos que más aprecio son
en los que tú estás presente...
Y de todos los sueños especiales
que haya tenido en mi vida,
el que más deseaba se hizo realidad
cuando te convertistes en mi esposa.

¡Feliz Cumpleaños!

A Rosa
[transcripción]
Diciembre 25, 2001
Oxford, Wisconsin

De todos los momentos de mi día
aquellos que comparto contigo
son los que más significan para mí,
no importa lo que hagamos...

De todos los recuerdos felices
que conservo en mi corazón,
aquellos que más aprecio son
en los que tú estás presente...
Y de todos los sueños especiales
que haya tenido en mi vida,
el que más deseaba se hizo realidad
cuando te convertiste en mi esposa.

¡Feliz Cumpleaños!

Hice averiguaciones para hacerme una inseminación artificial. Queríamos un hijo de él y mío. Estábamos contra el reloj: no sólo no puedo esperar que transcurran los años que le faltan en prisión, sino que mi conteo regresivo puede ser de meses. Me hice todas las pruebas físicas y mi cuerpo estaba en perfectas condiciones para un proceso así. Él sabía que sería difícil, que en la cárcel todo lo burocratizan y que, con él, las condiciones y los trámites siempre son más duros que con los demás. Me pidió que no me hiciera grandes ilusiones con la inseminación, porque si para el casamiento, donde únicamente mediaban papeles, habíamos pasado tanto trabajo, él estaba casi convencido de que no iba a ser posible.

A Rosa
[fragmento]
[s/f]
Oxford, Wisconsin

Mi amor:

...no voy a comentarte sobre tu salud y las cuestiones que debías atenderte con el médico. Ya te lo he mencionado por teléfono, y estoy esperando la carta en la que me explicas de ese tema, pero sí quiero decirte —como ya hablamos— sea cual sea el resultado de las pruebas, y sea cual sea la posibilidad real de concretar nuestros planes, yo voy a seguir queriéndote y amándote como a nadie en mi vida. Las cosas no salen como uno mejor las desearía y creo que somos nosotros, con madurez y mucho amor, quienes debemos aceptar las realidades y seguir adelante. La vida nos ofrece múltiples posibilidades —ya hemos hablado de eso— y nosotros lo que debemos es saber ser felices y aprovecharla. Si no es de una forma, será de otra, pero estoy seguro de que seremos felices bajo cualquier circunstancia. Y con eso no quiero decir que desechemos ya cualquier esperanza de concretar ese sueño que deseamos. Tenemos que luchar por él aunque reconozcamos la dificultad para su concreción. Si no se puede, tendremos la satisfacción de que tratamos todo lo que pudimos, y esa satisfacción nos va a servir para querernos y amarnos más.

Cuando me di cuenta de que el reloj biológico avanzaba inexorable para mí, supe que no vendrían nuestros hijos. Decirle que no podríamos tenerlo fue durísimo. Le hablé por lo claro, desgarrada. Normalmente, la gente te dice: bueno, la vida da muchas vueltas, y él es joven, puede tener un hijo. Lo ven a él, pero no a mí. En la última visita que hice a Oxford —sólo he podido viajar allá tres veces en los últimos dos años—, le dije a Fernando: si cuando regreses crees que necesitas ese hijo, entendería si quieres separarte y volverte a casar. No puedo ser egoísta. Se disgustó. Me dijo cosas tremendas: que qué clase de hombre yo creía que era él, que cómo había pensado en esa posibilidad. Si no había hijos para mí, era porque él tampoco los tendría. Cerramos ese capítulo doloroso. Él y yo nos tenemos uno al otro, para siempre.

A Fernando
[fragmento]
Junio 30, 2002
[La Habana]

Fernan, mi amor:

...no sé cómo quedará esta carta porque son muchas las cosas que tengo en mi mente y no sé realmente cómo organizarlas (...). Yo estoy bien de salud y de ánimo, un poquito más alterada que lo habitual pero sé que tú lo comprendes y que sabes que puedo manejarlo aunque realmente he tenido emociones bien fuertes en estos días (...) pero no te preocupes que yo sé que nos sentaremos a contarnos todo esto frente al mar y serán nuestros recuerdos y las historias que tendremos que intercambiar a tu regreso.

... no te limites en hacerme saber todo sobre ti y no dejes de darme detalles que sean dolorosos (...) yo sé que lo haces para evitarme sufrimientos pero no te preocupes, si bien es verdad que he tenido momentos de angustia y dolor por esta separación, he pensado después en lo necesario de tu presencia allí para el bien de todos y te repito de nuevo que el orgullo que siento me hace darle gracias a la vida, que me permite compartir mi destino junto al hombre especial que tú eres.

A Rosa
[fragmento]
[s/f]
Oxford, Wisconsin

Rosa, hay en ti esa heroicidad anónima, esa comprensión sin palabras, esa entrega incondicional a la causa que son dignas de admiración y por lo cual me siento orgulloso de contar con tu compañía. Son virtudes que tienes que, entre otras, fueron las que me hicieron distinguirte a ti, acercarme y quererte como nunca he querido a nadie. Con un amor maduro, con una conciencia de futuro y con un deseo inagotable de compartir el resto de mi vida contigo.

Escogí el camino que yo quería seguir y sabía a lo que me exponía y por qué lo hacía. Te impuse una realidad a ti, sin que conocieras ni tuvieras opinión en lo que yo hacía y a lo que dedicaba mi vida.

La situación actual ha exigido de ti un crecimiento personal, una fuerza y un sacrificio para los cuales nunca tuve dudas que estuvieras preparada. Así lo has demostrado y lo continúas demostrando diariamente con tu resistencia y apoyo, que estimo mucho y que son un gran estímulo para mí.

Escuchar tu voz en el teléfono es como recibir una de tus caricias, que tanto extraño y que estoy seguro que tendremos tiempo de compartir por muchos años en el futuro. Te beso en los labios, me acerco a tu oído y te digo: te quiero mucho.

A Fernando
[fragmento]
[s/f]
[La Habana]

Fernan:

...no importa el tiempo que tengamos que esperar, la verdad se impondrá (...). Te sigo esperando con el mismo amor de siempre, tú sabes que yo soy una soñadora y no he dejado de serlo, espero por nuestro hermoso futuro y los planes nunca me van a faltar. No te inquietes por mí, cuídate mucho, sigue amándome mucho que el amor nos hace firmes y fuertes.

A Rosa
[fragmento]
[s/f]
Oxford, Wisconsin

Rosa:

No importa el tiempo que sea necesario esperar, ni la influencia que el tiempo tenga sobre nosotros físicamente. Cuando llegue el momento de volvernos a encontrar, yo estaré ahí, a tu lado, para que nunca más tengas que extrañarme, ni en las mañanas ni en la noche. Ahí estaré en las mañanas para decirte cuán linda te ves en tu uniforme de trabajo, y en la noche para repetírtelo a tu regreso. Todo este tiempo quedará como un recuerdo lejano, y nos contaremos las historias frente al mar, cogidos de la mano.

Fernando González Llort

A Fernando
[fragmento]
Agosto 14, 2002
[La Habana]

Fernan:
... realmente hoy me esfuerzo más que antes tratando de poner el pie en tu huella, no sé si lo voy a lograr pero te juro que me esfuerzo porque me has hecho mejor persona (...). Tal vez nunca medí la importancia de lo que recibía creyendo que lo merecía y hoy sé el precio de cada minuto de tranquilidad que tenemos. Perdóname si alguna vez fui indolente y no lo supe valorar reclamando de ti mayor atención. Tú te mereces todo mi amor y sabes que lo tienes, no hay un día que no te dedique mis mejores pensamientos con la intención de que lleguen a tu alma (...). No te preocupes por mí, yo confío y te espero con todo mi amor.

A Rosa
[fragmento]
Septiembre 30, 2002
Oxford, Wisconsin

Mi Rosa:
No quiero que pises sobre mi huella, porque no soy mejor que tú. Quiero que el paso lo demos juntos, los dos, y que ambos pisemos a la vez y dejemos una sola huella, la nuestra, una sola. Que no sea ni mía ni tuya, sino la de los dos. Única.

A Rosa
[s/f]
Oxford, Wisconsin

Te veo venir, caminando hacia mí,
Y no puedo apartar la mirada.
No es sólo tu cuerpo físico el que se acerca. Es mucho más.

Contigo viene la primavera después de un largo invierno.
Y cuando estás a mi lado toda preocupación desaparece.
Sólo hay ternura.
Me pierdo en el azul de tus ojos y soy feliz. Sueño.
A través de tus ojos veo el futuro. Sin ellos no lo hay.
Tomo tu mano, te miro a la cara fijamente,
y me encuentro a mí mismo. Soy y no soy.
He dejado de ser un poco yo, para definirme a través de ti.
Camino tus pasos, duermo tu sueño, sacio mi sed con lo que bebes tú.
Aquí tienes mi corazón. Cuando despierte, quiero hacerlo a tu lado.

(Esto que no puedo llamar poesía, ni siquiera tiene título. Son sólo ideas que puse una detrás de la otra.)

A Rosa
[fragmento]
[s/f]
Oxford, Wisconsin

Hay un *close-up* tuyo hecho por Bill, y me duele deshacerme de él. Pero después de tenerlo durante meses en el mural de mi celda, quiero que tú lo tengas y lo conserves. Por su tamaño no se ajusta al álbum que yo tengo, y no quisiera que en algún movimiento o «hueco», se vaya a perder. Me separo de esa foto con el mismo sentimiento con el que me separo de ti, al final de nuestras pocas visitas. Fue mi compañía en mi celda, durante meses. Desde cualquier ángulo en que la miraba, me parecía que tú me seguías con la vista. Muchas veces en la soledad de mi celda me encontré mirando esa foto, y sosteniendo un diálogo imaginario contigo. De esos que eran tan frecuentes entre nosotros, y que extraño como tú no te puedes imaginar.

Fernando sólo puede tener un pequeño álbum de fotos en su celda. Es el reglamento. Cuando le llegan nuevas, debe deshacerse de las otras, y cumplir la orden. Él nos las envía de vuelta, para que las guardemos en la casa. Siempre tiene el temor, además, de que pueda perderlo todo, si lo confinan al «hueco», o lo cambian de prisión. Por eso me envió esa foto que tanto le gusta y que me hizo Bill, un amigo norteamericano vinculado a la causa por la liberación de los Cinco. Bill estuvo en La Habana hace más de un año.

A Rosa
[s/f]
Oxford, Wisconsin

Amor:

Sé que han pasado dos años desde que te fuiste al nuevo apartamento y eso para ti es agua pasada, pero trata de ponerte en mi lugar, que no conozco nada sobre ese cambio y me interesaría saber tantas cosas. ¿Cómo fue? ¿Qué arreglos hiciste? ¿Cómo es el barrio? ¿Cómo te va con las nuevas responsabilidades de la casa? Lo mismo sucede con tu trabajo. En nuestra conversación me mencionaste que te habían promovido y, sin embargo, en tus cartas no amplías nada sobre ese tema. Me gustaría saber cuál es el nuevo trabajo, en qué consiste, si te gusta, si estás satisfecha, si tienes posibilidades de desarrollo, qué cambios ha implicado en tu horario, cómo te las arreglas con el trabajo y la casa. Como yo no soy poeta he escogido un poema de Mario Benedetti (que sé es un autor que te gusta) para compartir contigo. Está incluido en el libro *Inventario* del cual te hablé en mi carta anterior y se titula «Todavía». Ten confianza en la victoria y mantente optimista. Yo por mi parte me cuido y estoy preparado para cualquier cosa. Con esta carta recibe todo mi amor y un beso bien grande. Te quiere,

Fernando

Estaba estudiando un técnico medio en Colaboración Económica. Martha, la hermana de Fernando, era mi amiga, y le conté que me hacía unos líos tremendos con la Economía Política y la Filosofía, y ella me presentó a su hermano, para que me ayudara con esas dos asignaturas. Fernando es graduado de Licenciatura en Relaciones Económicas Internacionales, y se entregó a esto con mucha paciencia. Éramos vecinos, pero jamás habíamos mantenido una relación que fuera más allá de los saludos convencionales. A partir de aquí, tuvimos un mayor acercamiento. Por supuesto, me llamaba la atención, pero no lo

veía como una relación posible... Él se entregó con entusiasmo a la tarea de mis clases, y de la ayuda con las asignaturas, pasó a la tesis. Nos íbamos juntos al cine, al teatro. Nos prestábamos libros. Pero ninguno de los dos se lanzaba. No nos atrevíamos a traspasar el umbral de una amistad que ya se estaba complicando. Él, con el disimulo, acabó con una mata de jazmines y de rosas silvestres que cuidaba una vecina como los ojos de su cara. Las robaba para mí, con cualquier pretexto. Un día sucedió lo que ya era inevitable.

A Rosa
Noviembre 9, 2002
Oxford, Wisconsin

Mi flaca:

Quizás esta sea una carta un poco distinta a las demás porque no me propongo con ella contarte sobre mí ni ponerte al día sobre los acontecimientos últimos, mis lecturas, ni mis opiniones sobre éste o aquel tema.

Lo que quiero y me propongo con esta carta es tratar de trasmitirte el amor inmenso que siento por ti, cuánto valoro tu compañía cariñosa, tierna y comprensiva; tu inteligencia y tu dulzura, tu paciencia y tus atenciones. En fin, lo importante que eres para mí y los sentimientos de amor que guardo con cuidado y con cariño para entregártelos y que tú los haces crecer y profundizarse día a día con tu actuar y con tus pruebas sistemáticas de que mi corazón no se equivocó cuando se entregó completamente a ti.

Tú despiertas en mí y me has hecho conocedor de sensaciones y sentimientos que me eran desconocidos y que nunca había experimentado. Poco a poco, con el paso de los años y ya desde hace mucho tiempo, te escurriste con paciencia y sabiduría a través de las grietas de un escudo que involuntariamente yo había erigido como protección.

Con ese amor calentaste mi corazón como solamente tú sabes hacer y le diste una significación nueva y hasta entonces desconocida para mí de lo que significa el amor y la pareja.

Hoy, desde la distancia, en condiciones extraordinarias, has sabido mantener ese calor, cuidar del amor, de la relación y de nuestro futuro como cuida uno de sus cosas más preciadas.

Y todo eso me hace admirarte y quererte más y más cada día, con la confianza de que la felicidad vivida se moriría de envidia al ver la felicidad que viviremos en el futuro…

Y así te quiero, siempre presente, siempre con tu aliento cercano, siempre con la palabra dulce y el espíritu fuerte acechándome, siempre con ese calor que has sabido proporcionar a mi corazón y la felicidad que me provocas. Y así te voy a tener siempre.

Te amo,

Fernando

A Rosa
[postal, transcripción]
Diciembre 25, 2002
Oxford, Wisconsin

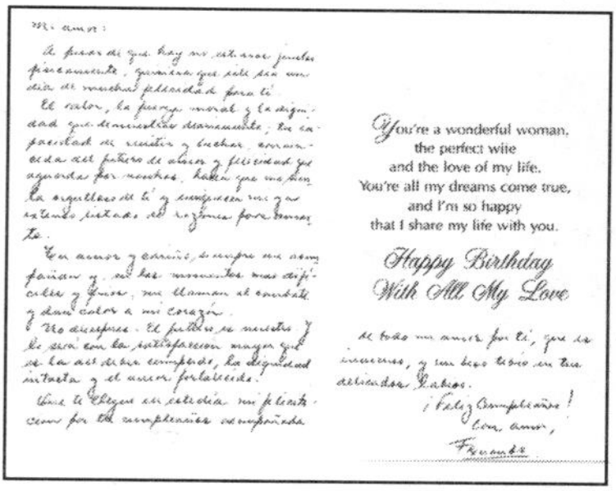

Mi amor:

A pesar de que hoy no estemos juntos físicamente, quisiera que éste sea un día de mucha felicidad para ti.

El valor, la fuerza moral y la dignidad que demuestras diariamente; tu capacidad de resistir y luchar, convencida del futuro de amor y felicidad que aguarda por nosotros, hacen que me sienta orgulloso de ti y enriquecen mi ya extenso listado de razones para amarte.

Tu amor y cariño siempre me acompañan y, en los momentos más difíciles y fríos, me llaman al combate y dan calor a mi corazón.

No desesperes. El futuro es nuestro y lo será con la satisfacción mayor que es la del deber cumplido, la dignidad intacta y el amor fortalecido.

Que te llegue este día mi felicitación por tu cumpleaños acompañada de todo mi amor por ti, que es inmenso, y un beso tibio en tus delicados labios.

¡Feliz Cumpleaños!

Con amor,

Fernando

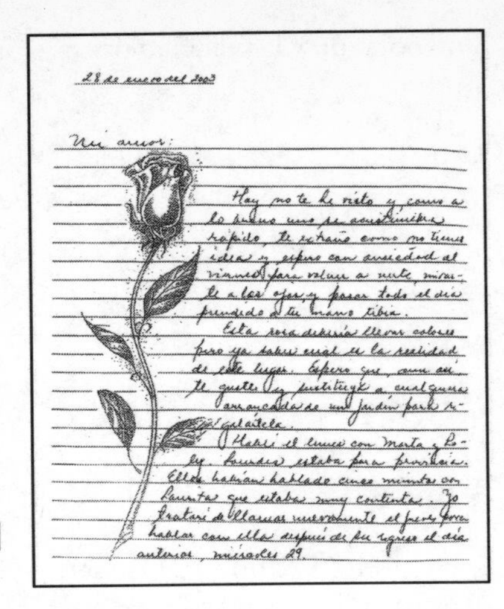
28 de enero del 2003

Mi amor:

Hoy no te he visto y como a lo bueno uno se acostumbra rápido, te extraño como no tienes idea y espero con ansiedad el viernes para volver a verte, mirarte a los ojos y pasar todo el día prendido a tu mano tibia.

Esta rosa debería llevar colores pero ya sabes cuál es la realidad de este lugar. Espero que, aun así te guste y sustituya a cualquiera arrancada de un jardín para regalártela.

Hablé el lunes con Marta y Roly. Lourdes estaba para provincia. Ellos habían hablado cinco minutos con Laurita que estaba muy contenta. Yo trataré de llamar nuevamente el jueves para hablar con ella después de su regreso el día anterior, miércoles 29.

A Rosa
[fragmento, transcripción]
Enero 28, 2003
[Oxford, Wisconsin]

Hoy no te he visto, y como a lo bueno uno se acostumbra rápido, te extraño como no tienes ni idea. Espero con ansiedad el viernes, para volver a verte, mirarte a los ojos y pasar todo el día prendido a tu mano tibia.

Esta rosa debería llevar colores, pero ya sabes cuál es la realidad de este lugar (no los hay). Espero que aún así te guste, y sustituya a cualquiera arrancada de un jardín para regalártela.

A Fernando
[fragmento]
[s/f]
[La Habana]

Fernan:

Aunque te parezca increíble hace casi un mes que me escribiste la carta a la que le estoy dando respuesta hoy, pero como bien dices estas son las circunstancias inevitables con las cuales tenemos que lidiar y no te preocupes, ya he aprendido un poco a tener paciencia y no desesperarme por la demora de la correspondencia, además cuando la carta que llega es tan hermosa y llena de amor como fue la tuya se borra por completo cualquier sentimiento de ansiedad que la falta de cartas hubiera podido provocar (...), cada carta tuya representa algo que necesito y me ayuda (...). (Ah, cuéntame del *bonsai).*

A Rosa
[fragmento]
[Marzo, 2003]
Oxford, Wisconsin

Nelson me cuenta sobre el bonsai. Encontró apropiado que fuera un proyecto común de amistad, y ya le ha hecho algunos recortes a la matica. Dice que está bien. Ya le expliqué que en mis condiciones es poco lo que pueda aportar. No tengo los libros de *bonsai,* por lo que no puedo ayudarlo con las instrucciones. Le había mandado algunas notas sobre cómo podarlo, dónde ponerlo y qué estilo darle. Si todo sale bien, quedará con un estilo que parecerá que la matica está creciendo sobre una piedra. Ya está trabajando en eso. Espero que los carceleros no me hayan botado mis libros. En Cuba no te llenaré la casa de maticas, pero espero hacer aunque sea un *bonsai* decente.

Esta carta me la envió antes del último «hueco» que padecieron los Cinco, cada uno en su prisión, cuando estaban junto con los abogados preparando la apelación, en marzo de 2003. Me cuenta de los libros que Nelson, un señor que vive en Madison, le había enviado por correo, y que habla de cómo crear un bonsai. *Ellos tenían una correspondencia cariñosa, en la que se habían puesto de acuerdo para hacer un* bonsai *entre los dos, que dedicarían a la paz y a la amistad. Como Fernan no puede cultivar una matica en la cárcel, a partir de los libros enviados por Nelson, él le daba instrucciones y el amigo atendía el futuro arbolito. Pero cuando llevan a Fernando para «el hueco», no le entregaron sus cosas. Tenía el temor de que perdiera sus pocas pertenencias, entre ellas este libro, si el confinamiento solitario se prolongaba tanto como le habían dicho: un año como mínimo.*

A Rosa
[fragmento]
Marzo 10, 2003
Oxford, Wisconsin

Al odio debemos oponerle el amor: el amor a Cuba, el amor a nuestro pueblo, el amor a Fidel (...). Ese amor debe reflejarse y se reflejará en más amor entre nosotros. No importan las limitaciones. Nuestro amor crecerá, y seremos más fuertes. Nuevamente te tengo que decir: «no desesperes». Nada de lo que hagan o puedan hacer va a evitar que triunfe la verdad y la justicia. El futuro nos pertenece y disfrutaremos lo que nos han robado.

A Rosa
[fragmento]
[s/f]
Oxford, Wisconsin

Flaca:

...por teléfono me decías que esperas mis opiniones para seleccionar qué poner en las paredes. Desde lejos es muy difícil pensar en algo muy preciso, pero sí se me ocurre que una buena opción serían litografías de las que venden los artesanos. Me alegra saber que tu familia te hace la visita los domingos y que Ale [sobrino de Rosa Aurora] a veces se queda contigo desde el sábado. Así la soledad de esos días es menor. Para todos ellos, incluida la doctora, su mamá y su padrastro, mis saludos. Y ahora que te menciono a Laura [sobrina], no quiero dejar de comentarte que me sorprendió sobremanera la carta que recibí de ella. Las cosas que me dice y la forma en que las dice realmente me llegaron bien adentro y muestran a una adolescente en un proceso de madurez y con una capacidad para expresar sus sentimientos que me dejaron sorprendido.

A veces siento que la gente tiene una idea distorsionada de Fernando, como si fuera un soldadito de plomo, un héroe perfec-

to. Me lo sustraen de la realidad. Pero tú no te enamoras de un hombre porque sea un héroe. Fernando es alguien con quien es muy fácil vivir, porque es muy cariñoso y tiene miles de detalles, miles de atenciones. Por ejemplo, a veces estaba viendo televisión y lo dejaba todo y venía, me daba un beso, y me halaba para que lo acompañara. Le encanta disfrutar mucho, juntos, los paseos el fin de semana, que ya sabes son los días de adelantar las tareas de la casa: lavar, entre ellas, que es lo que menos me gusta. Si me demoraba porque había mucha ropa sucia, ¿qué tú crees que hacía?: lavaba él, para terminar rápido e irnos a la calle. No es un soldadito de plomo, alguien para poner en una vitrina. Él es un ser humano como otro cualquiera, aunque tal vez más lleno de ternuras que cualquier otro.

A Rosa

[fragmento]

Septiembre 14, 2003

Oxford, Wisconsin

Amor mío:

No sé si tú tienes idea de cuánto te extraño. Estás en mis pensamientos todo el día y en cada cosa que hago. De los sueños ¡para qué hablar! Es rara la noche en la que no seas parte de ellos. De alguna manera me acompañas permanentemente. Conocer de tu espíritu alegre y tu entusiasmo en nuestra lucha es una fuente de inspiración a la vez para mí.

Entre mis brazos no te podré tener por ahora, pero conmigo estás de mil maneras. Eso no me lo puede robar nadie. Paso mucho tiempo del día sentado a la mesa de mi celda escribiendo o estudiando y, como tengo una foto tuya frente a mí en el mural, cada vez que levanto la vista tus ojos azules están observándome. Siento tu mirada como si me tocaras con tus manos, con esa ternura tuya que tanto placer me provoca y que voy a reclamar desde el primer minuto que pueda estar nuevamente junto a ti. No me canso de quererte. ¿Cómo podría?

25.12.03

Amor mío:

¡Happy
Birthday!
Recibe con esta postal todo
mi amor y cariño en el día
de tu cumpleaños. Que sea
para tí, a pesar de las circunstancias, un día lleno de
felicidad. Recuerda que
el sacrificio de hoy se conver-
tira en dicha y felicidad
mañana.
Te beso con amor y te deseo
con todo mi corazón un
¡Feliz Cumpleaños!
Te quiero,
Fernando

A Rosa
[postal, transcripción]
Diciembre 25, 2003
[Oxford, Wisconsin]

Amor mío:

Recibe con esta postal todo mi amor y cariño en el día de tu cumpleaños. Que sea para ti, a pesar de las circunstancias, un día lleno de felicidad. Recuerda que el sacrificio de hoy se convertirá en dicha y felicidad mañana.

Te beso con amor y te deseo con todo mi corazón un ¡Feliz Cumpleaños!

Te quiero,

Fernando

A Rosa
[fragmento]
Diciembre, 2003
Oxford, Wisconsin

Mi flaca:

Con el transcurso de estos años que hemos pasado en prisiones norteamericanas la realidad nos obliga a asimilar circunstancias y aceptarlas como parte del necesario sacrificio. No por

ello esas realidades dejan de ser dolorosas. Guiados por mucha conciencia revolucionaria, nuestra absoluta convicción de que nos acompaña la verdad, y la seguridad de que defendemos una causa justa, ponemos en perspectiva ese dolor, aceptamos la realidad y vivimos con ella.

Una de las más dolorosas de esas realidades es la de los hijos por tener, que eran parte de los planes familiares, con el tiempo se han ido transformando en los hijos que nunca serán. Con el paso de los años y el avance del reloj biológico, la separación impuesta nos obliga a transformar nuestra visión de la familia y conformarla a la de una familia sin hijos, aunque siempre con mucho amor.

Será el amor el que sustituya la risa infantil en nuestra casa, la preocupación permanente por la correcta educación de nuestros hijos ausentes, y el placer y la satisfacción de verlos crecer como seres humanos comprometidos con lo más noble y justo.

Seguramente mi caso no será único. Sin embargo, lo que le confiere singularidad a nuestro dolor es que la situación y la realidad a las que nos obligan a adaptarnos las provoca una injusticia colosal…

Ramón Labañino Salazar

ESTOY AQUÍ, SIEMPRE AMÁNDOLAS

Elizabeth Palmeiro

Ramón y yo nos casamos el 2 de junio de 1990. El 9 de agosto de 1992 nos llegó nuestra primera hija Laura, que es un vivo retrato de su padre. Cuatro años después nació nuestro otro tesoro, Lizbeth. Ailí, la niña mayor de Ramón es de un primer matrimonio. Él nos llama sus cuatro mujeres.

Fue muy difícil explicarles a las niñas que a Ramón lo habían arrestado en Miami. Lo acusaban de conspirar para cometer espionaje, portar documentación falsa y ser un agente no registrado de Cuba en los Estados Unidos. Es una sensación muy rara ésa de que palabras extrañas controlen de momento nuestras vidas. Para hablar con las niñas me hacía falta un lenguaje que ellas pudieran comprender desde la inocencia de su infancia. El reto mayor era con Laura, porque siempre ha sido la más cercana a su padre. Ramón la llama su princesita. Con Lizbeth me sentía más segura por ser la pequeñita, y quizás no haría preguntas difíciles de contestar. Ailí, que tenía trece años, entendió todo mejor que sus hermanas.

Fue en junio de 2001. Estaba recién operada de apendicitis y llamé a Laurita para que se acostara a mi lado. Le expliqué lo mejor que pude que a Ramón lo tenían preso desde septiembre de 1998, que lo acusaban de ser un espía y haber puesto en peligro la seguridad de los Estados Unidos. Le dije que eso no era verdad, que en realidad su papá estaba preso por ser un patriota que había defendido al pueblo de Cuba de ataques terroristas y que no le había hecho daño a nadie. Le dije que su papá estaba preso por defender a todos de la muerte. También le expliqué que lo habían enjuiciado en Miami y que querían sentenciarlo a cadena perpetua. Laura comenzó a llorar, y yo para que no se sintiera completamente desamparada me tragué las lágrimas.

Las cartas de Ramón comenzaron a llenar el vacío tan grande que creaba a las niñas la ausencia de su padre. Durante los últimos cinco años nuestra vida familiar ha estado marcada por las arbitrariedades y los abusos que ha padecido Ramón, junto con sus cuatro compañeros. La primera carta de Ramón nos llegó fechada un 27 de diciembre de 2000, veinticinco meses después de que los Cinco fueran apresados. No sería, sin embargo, hasta abril de 2002 en que nuestra familia se reunió por primera vez después de casi cuatro años de encarcelamiento.

A Elizabeth
[fragmento]
Diciembre 27, 2000
FDC-Miami

Amada esposa, querida familia mía:

Aprovecho esta oportunidad, después de un «largo» período de silencio, para hacerles llegar este amor sin límites que siento por cada uno de ustedes, y la añoranza inmensa de volverlos a ver. En realidad, nunca me he alejado de ustedes, pues siempre están aquí a mi lado, a lo largo de estos dos años y algo, pues su presencia, de todos, de los que están y de los que se han marchado, es mi mejor aliada cada segundo de mi vida.

A mis hijas, siempre les tengo presentes en cada momento, no saben cómo pienso en ellas, en sus risas y caprichos, en sus juegos y malcriadeces, pero sobre todo en ese amor de niñas que supieron siempre darme. Reciban todas, un beso y todo el amor de papá.

Espero tus necesarias «largas» cartas, fotos de todos, sobre todo tuyas y de mis hijas, y todos los míos. Sé que en este tiempo, habrán pasado muchas cosas, y espero me actualices de todo. Ojalá, si fuera posible, que recibas algo como regalo de fin de año y milenio: ya tengo encaminado el proceso de introducir el teléfono en mi lista de teléfonos y espero que en una semana, más o menos, estaré llamando. Mi plan es llamar los sábados entre las 8.00 y las 10.00 de la mañana, ojalá pueda hacerlo antes del 2001. Las llamadas son bien caras, y no tengo mucho dinero disponible, por lo que veré cómo las distribuyo mejor, son sólo quince minutos, por lo que tenemos que aprovecharlos al máximo. Ojalá puedas tener a todos, o a gran parte de la familia allí, para poder hablarles a todos, pero primero, tú, y mis hijas. No saben cómo añoro ese día, en que pueda oír tu voz y la de las niñas, me parecerá un «sueño». Así que prepárense todas...

Por lo demás, no se preocupen, todo saldrá a la luz, y «la verdad nos hará libres» como dijo un genio de todos los tiempos.

Papo, papi...

A Ramón
[transcripción]
Diciembre, 2000
[La Habana]

Papito Ramón:
Te escribiré a continuación un poema,
que espero te guste:

¿Por qué encarcelan?
Americanos, no se dan cuenta
que ya eso, no les cuenta,
suelten de una vez
a los cinco prisioneros.

[Laurita]

Dibujo de Lizbeth (con tres años) para Ramón

A Elizabeth
[fragmento]
Enero, 2001
FDC-Miami

Querida esposa mía:

Quiero que sepas que en los momentos más difíciles, en la soledad más extrema, cuando extrañábamos hasta la voz de un ser humano (y teníamos hasta el temor de perder la comunicación, añorábamos incluso oír alguna palabra, en cualquier idioma de alguna persona), siempre, siempre, estuviste presente, tú, tu sonrisa y nuestra increíble historia de amor. En esos momentos extremos siempre te tuve, sin falta, a mi lado. También estaba mi madre. Estaban todos, mis hijas, mis seres queridos, mis amigos, y en lugar cimero esa madre primera a la que todos nos debemos: mi patria.

Todo empezó el 12 de septiembre de 1998. Sobre las 5:30 a.m., en casa, allí nos detuvieron y nos llevaron al *Headquarters* del FBI en Miami, para una entrevista de «convencimiento» a que colaboráramos y traicionáramos, con ciertas promesas a cambio. Como es obvio, nada tenía que decir, y después de varios intentos fallidos, sin más que lograr, nos llevaron en auto al FDC (Federal Detention Center) de Miami, en el corazón mismo del Downtown Miami, donde hemos estado todo este tiempo.

Me gustaría que te tomaras una foto en la que estén mis cuatro mujeres: tú y mis tres hijas, todas arregladas, con el pelo peinado y con el cerquillo todas. Creo que así podría observar mejor a todos mis tesoros.

[Ramón]

A Ramón
[fragmento]
Enero 4, 2001
[La Habana]

Ramón, mi amor:

Recibe con estas primeras líneas después de más de dos años, todo el amor mío y el de tus hijas, que nunca te hemos olvidado. Hemos vivido nuestras vidas como si estuvieras aquí. (…). He tenido mucho tiempo para repasar todos los días desde que te conocí, para convencerme de que tú eres el hombre de mi vida y saberte mío me hace fuerte para enfrentar lo que sea. No te niego que ha sido duro, más bien durísimo, pero he tenido mucho apoyo de gente que me quiere y se ha solidarizado con mi lucha sola con nuestras hijas, tratando de hacerles feliz la vida a ellas. Nuestras hijas mañana sentirán orgullo del amor de sus padres… Te amo mucho, mucho, mucho,

tu Eli

A Elizabeth
[fragmento]
Enero, 2001
FDC-Miami

Para Eli:

Es mi papel de padre estar al tanto y siempre educar, aunque sea a distancia. A Lizbeth, mi pequeñuela, como aún no sabe leer, aquí le envío un dibujo con unas ideas y tareas para que le leas. Me gustaría que este dibujo con un patico serio, como

cuestionando (donde le pondré tareas que realizará todos los días), se lo pongas encima de su camita, siempre a la vista, para que cada día le recuerde a papá y así educarla en los deberes diarios y embullarla con dibujos y lecturas.

[Ramón]

A Laurita
[transcripción]
[s/f]
FDC-Miami

Poema de amor a mi hija

Lindos ojitos chinos
Adorada sonrisa mía
Unes como dos lirios
Razón, amor y poesía
A su papito igualita,
eres tú la hijita mía

papá te ama mucho...

A Elizabeth
[fragmento]
Enero, 2001
FDC-Miami

Laurita está encantadora, preciosa y muy grande. No sólo yo, sino todos aquí coinciden en que es mi fiel retrato, de lo cual estoy muy orgulloso y contento. No sabes cuánto la extraño y la quiero, como con ella estuvimos más tiempo juntos, y con lo cariñosa y sensible que ella es, lo pegajosa que es conmigo, es algo que siempre extraño y añoro mucho. Dile cuánto la amo, y que vivo por ella, como por ti y mis hijitas y todos los míos.

[Ramón]

A Ramón
Enero 4, 2001
[La Habana]

Querido papá:

Te deseo muchas felicidades en este año nuevo cuando recibas esta carta mía y de mi hermanita. Papi como puedes ver ya puedo escribir y leer correctamente. También sumar, restar, además de multiplicar y dividir, aunque todavía no me lo sé todo, sí te puedo decir que me he ganado muchas estrellas en mi libreta de tareas. Cuando terminé segundo grado me gané el diploma de vanguardia porque saqué excelente en todas las pruebas.

De mi hermanita te diré que yo la cuido y juego con ella para que mi mamá pueda hacer las cosas de la casa. Cuando salgo de mi escuela yo voy para el círculo hasta que llegue mi mamá de su trabajo.

Bueno, papi, te mando muchos besitos míos y de mi hermanita. Yo te extraño mucho y te quiero mucho.

Te quiere,

tu hijita Laurita. ¡Muá! Un beso.

A Laura
Enero 29, 2001
FDC-Miami

Laura, Princesita mía:

Ojalá te guste este cuento. Como todos los cuentos, este tiene un mensaje y una enseñanza que quiero aprendas: cuánto vale la bondad, la nobleza (que tú tienes), y ayudar a los que lo necesitan. En la princesita (como tú), en Dayra se ve cuánto sirve leer y estudiar, lo que le ayudó a encontrar el Unicornio y después cómo salvarlo para que regresara junto a su mamá.

Aquí ves lo importante que es saber leer, aprender y ser buena estudiante, así como tú eres y debes seguir siendo. Ojalá te guste este cuento. Colorea los dibujos. En tus cartas dime qué te parecen los cuentos, si deseas otros y cuáles.

Esto es sólo una muestra de cuánto te quiero y extraño...

Un beso,

Papito

A Ramón
[s/f]
[La Habana]

Papá, yo fui a casa de mi abuela y la pasé muy bien montando bicicleta y saltando la suiza durante la semana de receso escolar.

Papá, yo me gané el diploma de destacada y te lo voy a mandar para allá por el correo. Yo llamé a mi mamá para decírselo y ella cuando yo se lo dije se puso muy feliz. Papá yo lo que más deseo para el cumpleaños de mi hermana es que tú si puedes me llames. Para que felicites a mi hermanita. Ese es mi mayor deseo. Adiós papá. ¡Muá! Un beso. Para ti. ¡Muá!

Laurita

A Laura
[fragmento]
Febrero 3, 2001
FDC-Miami

Laurita, adorada preciosa mía:

...ahora te explicaré en qué consiste el regalito que te envío aquí: como premio por los buenos y excelentes resultados en la escuela, por ser alumna ejemplar y lo buena hija y obediente que eres y sobre todo por todas las carticas que me enviaste en este período y tus besos y todo el amor que pusiste en ellas, aquí te envío mis primeros 10 sellos.

Son 10 sellos porque es la puntuación máxima por ser la que más cartas me ha enviado, con sus dibujos, besos y poemas y amor para papá.

El mundo de los sellos o filatelia es fascinante. Los sellos son obras de arte que se conservan en colecciones por diversos temas y además se intercambian con otros amiguitos. Los que se dedican a coleccionar sellos o a la filatelia se nombran filatelistas. Como verás son de muchos colores y se hacen en todas partes del mundo. Se coleccionan de diversas formas: los que se reciben del mundo entero o por intercambio con otras personas, se compran, etcétera.

Una colección buena de sellos puede ser muy valiosa, valen mucho dinero pero sobre todo por lo antiguo y el valor artístico de los sellos. Tú también puedes coleccionar tus sellos, de las cartas que recibas, de tu abuelita que recibe cartas, de tu tío, de tus amiguitos del barrio y de los que de la escuela reciben cartas. En fin, todos los sellos son valiosos (...). Ningún sello se bota, porque siempre sirven para cambiar por otros que queramos.

Esta parte de los sellos léesela también a tus hermanitas Ailí y Lizbeth para que aprendan. A ellas también envío los sellos que se ganaron en este período. Cuando me escribas cuéntame sobre los sellos, si te gustaron y todo lo que estás haciendo con ellos.

Bueno, preciosita mía, te quiero mucho, mucho y te mando un beso grande como el que me pones en tus cartas. Te extraño mucho y recuerda que papá te ama.

Papá Ramón

A Ramón
Febrero 4, 2001
[La Habana]

Papá:

Te contaré que mi hermana se estaba portando bien y ahora se está portando muy mal, lo primero es que quiere romper mi almanaque, me coge mis cosas y me las pierde, mira te diré lo que ella me perdió, ella me perdió dos lápices nuevos cuando yo fui a la casa de mi abuela.

Querido papá yo estoy sudando y ya me bañé. Tú sabes por qué yo estoy sudando porque me he pasado la tarde y estoy cansada de recoger la casa. Papá si tu ves lo contenta que se puso mi mamá, tu también te pusieras contento porque tú llamaste por teléfono. Bueno papá un beso grande. Adiós.

Tu hijita Laura. La hora es 6:20 p.m.

A Ramón
[fragmento]
Febrero 5, 2001
[La Habana]

Papo, hoy ordené las carticas de Laurita. Como podrás ver son bastante originales y sobre todo muy espontáneas. Ella solita se sentó a hacerlas a su manera y a su gusto. Traté de rectificarle la escritura, pues empezaba escribiendo en un renglón y lo terminaba casi al final de la hoja, pero no me dejó… Aquí todos estamos bien, esperando poder reunirnos y celebrar por todo lo alto tu regreso. Las niñas y yo seguiremos esperando ese día, pero mientras tanto, la prioridad mía es que ellas sigan creciendo sanas y fuertes, saludables, educadas y sobre todo dignas de su papá. Que cuando puedan valorar todo este tiempo, lo

hagan orgullosas de ti y de tu vida. Que el amor a su padre les llene la vida y que lo vean como te veo: digno y valiente. Así te empecé a querer y a mi forma de amarte adapté la vida de mis hijas. Quiero que cuando podamos reencontrarnos, puedas notar eso. Te amo,

Eli

A Ramón
[fragmento]
Marzo 10, 2001
[La Habana]

En la escuela me va muy bien, y por eso me gané un campismo en La Laguna, en el cual me fue muy bien, fuimos a la playa y a la discoteca por la noche (aunque tú sabes que yo no bailo). Fui al cumple de Lizbeth, había pocas personas, pero pasamos un rato divertido y agradable. Laura comió todo lo que quiso (está un poco gordita), ella es estudiosa, le gusta leer y enviarte muchas cartas. Te quiero,

Ailí

A Ramón
Mayo 22, 2001
[La Habana]

Querido papá:
Te deseo un millón de felicidades por tu cumpleaños y por el Día de los Padres. También dile a tus compañeros que yo les deseo un millón de felicidades. A ti sobre todo sabes porque tú verás: te quiero como mi palma como mi bandera. Ahora son más bonitos.

Me enfermé con la **A**
por culpa de la **M**
y el doctor **O**
me recetó la **R**

Quiero decirte que esa esposa que tú tienes es muy bella, ella te quiere tanto como tú a ella, y yo los quiero mucho a los dos. Mi hermanita los quiere tanto como yo. Te quiero,

Laurita

A Laura
Mayo, 2001
FDC-Miami

Amada Laurita, mi niñita dulce:

Todos los días pienso y sueño contigo, con nuestras cosas sólo tuyas y mías, nuestros miles de juegos y alegrías, nuestros paseos y travesuras, nuestro amor tan tuyo y tan mío. Y hago planes, muchos planes, para cuando regresemos, pues pienso llevarte y tenerte siempre conmigo, a todas partes, en las ciudades y las montañas, en los cielos y en las nubes, y nos bañaremos en todos los ríos y playas de Cuba, y recorreremos palmo a palmo cada pulgada de nuestra adorada Isla, siempre juntitos, siempre unidos.

Papito Ramón

A Ramón
[s/f]
[La Habana]

Querido papá:

Te extraño mucho. De mí puedo decirte que en la escuela me va muy bien, en las pruebas que he hecho he salido muy bien y me quedan por examinar Química, Inglés y Matemática. Dice Eli que si le ponemos un bigotico a Laura es tu propia copia, las dos tienen los ojos chinitos como los tuyos. Bueno papá me despido con un beso enorme del tamaño del mar. Ailí Labañino, así me llaman los profesores en la escuela y mis compañeros lo cual me hace recordarte y eso me hace feliz.

A Ailí
[fragmento]
Mayo 31, 2001
FDC-Miami

Hijita preciosa:

Quiero felicitarte por las buenas notas en la escuela y por lo buena alumna que eres, por lo activa que eres en todas las actividades, sólo te pido que sigas así, que continúes esforzándote y dando lo mejor de ti para que logres estudiar en la Universidad y seas una mujer con un gran y bonito futuro, como estoy seguro será. Cuéntame bien en detalles cómo fue tu viaje de competencia, dónde se quedaron, qué hicieron, qué especialidad competiste, cómo te sentiste, tus amigos y amiguitos... en fin, de todo y con detalles. Y los planes futuros.

Hijita, ya el año que viene cumplirás quince años y trataré de que sean los quince años más maravillosos de tu vida. Dime qué planes tienes para celebrarlos, qué desearías hacer, qué planes tiene tu mamá, en fin, todas las ideas que tengas. Preciosa mía, como ya casi eres una señorita es bueno que empecemos a hablar de temas más maduros y serios. Hoy se me ocurre hablarte del amor y sólo quiero darte algunos consejos:

El amor es el sentimiento más puro y profundo que uno siente en la vida hacia personas (padres, madres, amigos, hijos, familia, esposo, novio, etc.). O cosas (patria, tierra, bandera, ideas, etcétera).

El amor es bello, desprendido, sin interés, que a veces duele cuando te hieren o no eres correspondido.

Ahora bien, el amor hay que cultivarlo, cuidarlo, atenderlo, hacerlo crecer y nunca olvidarse de que existe. El amor es una rosa que hay que rociar constantemente, si no se muere o marchita. ¿Cómo se cultiva el amor? Pues con detalles, con mucho cariño siempre. Nunca puedes dejar de darle un beso cada día a mamá y decirle «cuanto te quiero», un abrazo, una caricia, una llamada por teléfono si estás lejos, un poema, una canción dedicada a ella, un regalito modesto, como una flor...

Hay detalles que no se pueden olvidar, estés donde estés, sea lo que sea que estés haciendo...

[Ramón]

A Lizbeth
[fragmento]
Mayo 31, 2001
FDC-Miami

Pequeñita traviesa mía:

...no sabes lo mucho que papá te extraña y cómo deseo verte y abrazarte mucho y estar siempre juntos para no separarnos más.

Estás muy linda en las fotos del cumpleaños de tu amiguita Ivette y me gusta mucho tu carita, y tu pelo hermoso.

Mamá me dice que te portas bien y que eres muy cariñosa con ella. Ya sabes que soy tu papito, que igual que mamá te hicimos con mucho amor los dos y te trajimos con mucha alegría a vivir con nosotros. Así te quiere mamá, yo que soy tu papito también te quiero y siempre te querré.

También nosotros dos, mamá Elizabeth y papá Ramón te trajimos junto a tus hermanitas Laurita y Ailí para que fueran felices y jugaran mucho. Por eso debes querer mucho a tus hermanitas, cuidarlas y hacerles caso, pues son más grandes que tú y te cuidan.

Cuando papito Ramón que soy yo, regrese, vamos a jugar mucho y divertirnos, por eso debes cuidarte y ser buena.

Te mando un cariño grande y todo mi amor,

Papito Ramón

Ailí y Laura le escriben regularmente a Ramón. La pequeña que ahora aprende las primeras letras le envía dibujos. Ella lo conoció en la cárcel cuando tenía cinco años y medio. Siempre me pide que le lea las cartas de su papi. Algunas se las ha aprendido de memoria porque le gusta cuando Ramón la llama: pequeñuela traviesa mía. Él trata por todos los medios de mantener una relación estrecha con ellas. A las niñas les escribe cartas, poemas y les envía dibujos y postales. Siempre quiere que le cuenten los más mínimos detalles de lo que pasa en la casa.

A Ramón
[s/f]
[La Habana]

Querido papá:

Te extraño mucho y quisiera que vengas para cuando vengas mi mamá te dé de mí muy buenas notas mías. Lizbeth está gordita ahora se está comiendo el jamón y el queso de los espaguetis. Bueno papá, adiós, esta es mi última carta. Papá. Papá. Papá Ramón.

[Laurita]

A Laura
[fragmento]
Mayo 31, 2001
FDC-Miami

Laurita mía, mi princesita:

Un beso grande, grande (...) y todo mi amor por ti, hija mía. Acabo de ver tus fotos en el cumpleaños de Ivette y me encantaron. Te ves muy linda y delgadita y ya se ve que estás creciendo rápido y cada día, para orgullo mío, te pareces más a mí. Así que eres mi fiel retrato.

Me gustaron mucho tus sellos sobre los mártires y patriotas de Cuba. Quiero que hagas esa colección aparte en una hoja sólo dedicada a esos mártires. Yo aquí te estoy coleccionando algunos que te voy a enviar pronto.

También me gustan mucho tus poemas y sobre todo ese poema de amor a papá. Gracias, hijita mía.

Laury, recuerda siempre seguir mis consejos sobre la dieta y la comida que te envié en el dibujito. Quiero que estés muy linda y saludable para cuando yo vaya, y salir todos juntos a todas partes, incluso a los parques, discotecas, El Morro, así que cuídense mucho para papá.

Dale todos los días un besito a mamá al levantarte y dile siempre que tú y yo la amamos mucho. Acuérdate que papá siempre esta pensando en ti y te ama mucho (...). Te amo,

papá Ramón

A Ramón
[s/f]
[La Habana]

Papá esta es la carta mía para ti. Querido papá. Esta es mi última carta espero que te guste como las demás. Te iba a preguntar cuándo venías pero mi mamá me dijo que no te lo dijera porque te pones muy triste.

Laurita

Dibujo de Lizbeth para su papá

A sus hijas
[fragmento]
Julio 11, 2001
FDC-Miami

Adoradas hijitas mías:

Sé que viven momentos de mucha emoción, alegrías y sorpresas que quizás nunca imaginaron. Hoy día están descubriendo quién realmente es su papito y estos cuatro hermanos míos que me acompañan, de nuestras vidas reales y de todo lo que hicimos por salvar sus sueños y los sueños de nuestro pueblo y su seguridad (...). Por esta razón marchamos un día a estar lejos de todos nuestros seres queridos.

Y es que sucede que, a veces, cuanto más se ama a un ser humano, es cuando más pronto debes separarte de él, por salvar su propia vida e incluso sus sueños.

Ustedes están conociendo cosas que yo hubiera querido contarles algún día personalmente, pero hasta ahora no había llegado ese momento. Estoy contento de ver que no soy yo quien les cuente esta historia, sino el mismo pueblo al que defendemos. Yo nunca hubiera podido contarles con tantos detalles y amor, ésta, mi propia vida, que hoy cuentan en la televisión, en las tribunas del pueblo, en la boca de nuestro querido Comandante, y mis compañeras y compañeros. Y sé que sabrán comprender todo mucho mejor.

Ahora ustedes pueden entender por qué papá no pudo estar más tiempo a su lado, ni vivir tantos momentos felices y alegres que viven todos los papás con sus hijos. Por eso, les pido disculpas.

Por eso, por mis ausencias, porque no pude estar al lado de mamá durante el embarazo, porque no pude verlas nacer, porque no pude estar allí cuando ustedes abrieron sus preciosos ojitos por primera vez en la vida, porque no pude cambiarles pañales, ni ayudarlas en sus primeros pasitos, ni limpiarles sus «pipis» y sus «cacas», ni ver su primera sonrisa, ni escuchar su primera palabra, no oír sus primeros «papá» o «mamá», ni el primer «te quiero», ni pude cuidarlas cuando enfermaban, ni jugar a cuanto juego disfrutan los padres con sus niñitos, ni siquiera enseñarles las primeras vocales, o leerles el primer libro, e incluso al hecho de que hoy día mi más pequeñuela apenas me conoce.

A todo, mil disculpas, adoradas mías.

Pero sepan que hube de marchar por el amor a ustedes y a todos. Que donde quiera que he estado y estaré, ustedes siempre están y estarán presentes.

Sean fuertes, muy fuertes para vencer siempre con una risa en los labios cada tarea que enfrenten en la vida. Por mí no teman, estoy bien y soy fuerte, mucho más ahora que me acompañan ustedes, todo mi pueblo y la dignidad del mundo. Yo regresaré, no lo duden, y tan pronto como sea posible, pues las extraño mucho. Y cuando vuelva recuperaremos todas mis ausencias y reconstruiremos todos los sueños y anhelos que hicimos esperar (...). Hasta pronto.

Papá Ramón

Del Diario de Ramón
[fragmento]
[s/f]
FDC-Miami

Un día me encontraba en mi habitación oyendo, como es usual, el programa «Haciendo Radio» de Radio Rebelde,[1] eran las 6:55 a.m., hora en que día a día los compañeros nos dedican un espacio de saludos de nuestro pueblo. En ese momento, un «inquilino» cubano, vino a buscarme para iniciar la jornada de ejercicios que habíamos acordado en horas de la mañana. Le expliqué que no me interrumpiera, y a su interrogante le dije que escuchara en su radio la sintonía de Rebelde. Casualmente ese día era el inicio del curso escolar 2001-2002, en que entrevistaron a mis dos hijas mayores, y que tan emotivamente lo hicieran, dedicándome sus dulces palabras. Yo estaba con-

[1] Radioemisora cubana que transmite por los 9 600 kHz, 31 m para Centroamérica y los 11 655 kHz, 25 m para el Caribe. [N. del E.]

centrado en la escucha y apenas pude percatarme de que mi compañero se secaba tímidamente algunas lágrimas. Al culminar, vi que se levantó y se fue sin decir palabras. Casi una hora después regresó trayendo un papel en la mano, con algunas palabras que según él, nos había dedicado a mis hijas y a mí.

A Ramón
Diciembre 13, 2001
[La Habana]

Hora 3:30 p.m. Día jueves. Querido y amado papá:
Papá, en esta carta no puedo escribirte la canción *El hombre que yo amo*. Entonces te haré una poesía.

Los 4

No cuentes hasta tres sino hasta cuatro
Porque si cuentas hasta tres, serán en la familia tres
Mamá, joven y nené pero se te olvida algo si cuentas
Están tres, ¿y entonces quién falta?
Papá.

Papi, ¿te gustó la poesía que inventé?

Palomita en la playa

A la orilla del mar
Canta una paloma
Dulcemente canta
Tristemente llora
Dulcemente canta
La paloma blanca
Se van los pichones
Y la dejan sola.

Chao papi Ramón. Te quiero, Laurita

A Elizabeth
[fragmento]
Julio 18, 2002
Beaumont, Texas

Siempre soñé con tener un hijo varón. Y eso tú lo sabes. Creo que todo el que me conoce lo sabe, y es que en mí, tenerlo, es como realizar un sueño, una esperanza, o quizás una dicha, como esa que tú me haces disfrutar cada día de mi vida, desde aquel primer instante en que tus labios y tu alma me dieron aquel Sí eterno. Tal de inmenso es mi sueño con mi «principito».

Y sabes muy bien que no es por falta de cariño o amor de padre, pues tengo la dicha enorme de tener a mis tres princesas, a las que amo tanto, y con las cuales me siento el más realizado de los padres. Yo soy un padre completamente feliz y dichoso; por contar contigo y con ellas; por todo cuanto somos y hemos sido.

Pero diría que es algo más profundo, es quizás esa añoranza de tener un hijo entre mis brazos, y besar sus piececitos desnudos, bañarle y cuidarle cada segundo de su vida, enseñarle a caminar, a leer y escribir, a jugar y hacer todos los deportes que sé y los que, por razones de mis ocupaciones, nunca pude practicar yo mismo. Te amo.

Papo

A sus hijas
[dedicatoria]
Mayo 27, 2002
Beaumont, Texas

Ternura y orgullo siento (...). Son mis hijas mi tesoro, mi amor. La primera divisa con tales sueños es que no hay ni enojos ni quebrantos que esa fuerza tal no derribe. Heme aquí con mis sueños, siempre victorioso, siempre amándolas. Con todo amor.

Papo, Papi, Ramón

Viajé con mis niñas para una visita familiar en la penintenciaría de Beaumont, Texas. Hasta entonces las cartas habían llegado regularmente, desde el FDC (en inglés: Federal Detention Center) en Miami primero, y desde la USP (en inglés, United States Penitentiary) de Beaumont, después.

Nunca se quejó ni trasmitió el más mínimo indicio de sufrimiento. En sus cartas mantenía vivo su deseo de estar cerca de sus hijas. Sabía que Ramón había sido enviado al «hueco» al menos en tres ocasiones —por diecisiete meses después del arresto; cuarenta y ocho días tras dar a conocer un mensaje al pueblo norteamericano denunciando su situación y la de sus compañeros, y treinta y un días en vísperas del inicio del proceso de apelación ante la corte del Onceno Circuito de Atlanta. Pero el amor crea vínculos que a veces no necesitan palabras. Ramón y yo, desde la distancia y a pesar de los barrotes, teníamos un pacto no hablado de proteger a las niñas de cosas terribles que pudieran herirlas.

A Ailí
[fragmento]
Noviembre 30, 2002
Beaumont, Texas

Para Ailí, de Papá:

Hoy cumples quince años. ¡Quién lo diría! ¡Cómo vuela el tiempo!

Parece que fue ayer cuando te tuve entre mis brazos por vez primera, y escudriñé cada pulgada de tu cuerpecito, y te acaricié y besé, con la ternura y la delicadeza de un rayito de sol. Y ya ves, hoy eres todo una señorita: hermosa, esbelta, espigada, elegante, mía… El día en que naciste era especialmente encantador. El sol brillaba afuera, en medio de una mañana fríamente cálida, tan típica de nuestra bella Isla en noviembre. Yo estaba dentro, en la sala de espera de Maternidad Obrera, inquieto, intranquilo, jubiloso; sin saber qué hacer ante el suceso que se avecinaba. Ya había hablado con cuanto doctor y enfermera había en el hospital; y creo que no había rincón que no conociera tu próxima llegada a la vida.

[Ramón]

A Lizbeth
Febrero 23, 2003
Beaumont, Texas

Para Lizbeth en sus cinco añitos:

A mi princesita bonita
A la más pequeña de mis delirios
Hoy papito te regala lirios
Que son rosas de tu sonrisita.

A Ailí
Agosto 15, 2003
Beaumont, Texas

A mi amada hija Ailí:

Tengo yo muchas razones
Para amarte como te amo
Por tus ojos color silencio
Por el rosado miel de tus labios
Por tus cabellos rubios y rizados

Y ese olor encantado que deja en tu espacio
Tengo yo muchas razones para amarte como te amo
Pero de todas, mi preferida
El ser tu padre
Yo creador
Yo soberano
Pero nadie encontrará en la vida
Quien te ame
Como yo a ti
Te amo.

A Ramón
[fragmento]
Noviembre 8, 2003
La Habana

Querido papito mío:

Espero que no hagas muchos ejercicios que te puedan perjudicar la pierna (yo se que tú eres un «poquito majadero»).

Este curso es un poco difícil (como todos los segundos años de las carreras), empiezo con asignaturas nuevas que los profesores por más que se esfuercen no nos explican como es debido. Hay que estudiar muchísimo para poder «entender algo» (sin libros de la especialidad, y los pocos que hay son para un grupo muy grande de estudiantes). En Inglés lo que estamos haciendo es traducir (del inglés al español) textos de computación (bastante complicados) y hasta el momento no conozco a ningún estudiante que tenga diccionario técnico, para estudiar con él.

Todos los sábados estoy viniendo a la oficina para arreglar los poemas con Eli, y hoy lo que empecé a hacer son diapositivas en el *Power Point* donde inserto uno de tus poemas y una de las fotos de las visitas que te hemos hecho. Hoy hice 10, espero que te gusten (...). Acerca de Osmel (un amiguito mío) no te voy a hablar en esta carta porque la preocupación del trabajo práctico de Arquitectura no me da ánimo. Pero te prometo que será en la próxima carta.

Besotes para un papote grandote de su «hijita chiquitica»,

Ailicita

Ramón llama por teléfono de vez en cuando. Laura y Ailí, por ser las mayores, tienen confidencias y secretos que sólo con él comparten. Lizbeth todavía no entiende completamente por qué su papá no está con nosotras. Hace poco Ramón llamó y Lizbeth no quiso venir al teléfono: «Si quiere decirme algo, que venga él mismo y me lo diga», me dijo llorando.

Dibujo de Lizbeth para su papá*

A sus hijas
[s/f]
Beaumont, Texas

A mis hijas:

Yo les di la vida,
rocié su amor de rocío,
glorifiqué su alma en la mía;
y crecí en sus desafíos...

Mi vida se hizo tres vidas,
tres mis deseos y destinos,
tres mi felicidad agradecida,
tres mis fortunas y designios.

Yo, por ustedes existiría,
en todo cuanto soy y resido,

*Representa la visita a la cárcel de su mamá, sus hermanas y ella, quien tiene en la mano un cuño con tinta que le ponen para poder entrar a la prisión. [N. del E.]

pues sólo en ustedes va todo mi amor;
sólo en ustedes yo existo.
Quizás hoy yo esté lejos,
y no pueda compartir sus delirios
pero sepan que donde quiera que esté
yo las amo.
Donde quiera que esté
yo, por ustedes,
¡es que vivo!

A Elizabeth
[fragmento]
[s/f]
Beaumont, Texas

Todas las fotos que me envías me traen mucha alegría, nostalgia otras (sobre todo las de mi mamá), pero sin dudas una alegría infinita al ver qué familia tan hermosa he creado, gracias a ti, mi amor. Hice una selección de las fotos y las más lindas (fue muy difícil elegir), las puse en el mural de mi celda, y todo el mundo tiene que ver con ellas. Por eso te pido más, sobre todo que me envíes las más recientes para ver cómo están, en particular las niñas.

Eli, sígueles enseñando fotos mías, videos, cartas, poemas, y cuanta cosa puedas de mí, a mis hijas, en especial a Lizbeth que es la que menos me conoce. Háblales constantemente de mí, de papá Ramón, que las quiere mucho y las extraña...

A Ramón
Junio, 2004
[La Habana]

¿Por qué?

¿Por qué?, mi amor por ti
es tan grande.

Será porque tú me creaste,
no lo creo.
¿Por qué?, cuando me alejo de ti,
el mundo no es el mismo,
será una bobería mía,
no lo creo.
¿Por qué?, en el mundo,
no existe alguien mejor que tú,
ya sé por qué,
porque mi amor no es igual a ninguno
en este mundo inmenso
ni el mejor hombre del mundo,
sería capaz de sustituirte,
como padre.
En mi mente siempre estarás,
Y yo sé que tú...
¡REGRESARÁS!

[Laura]

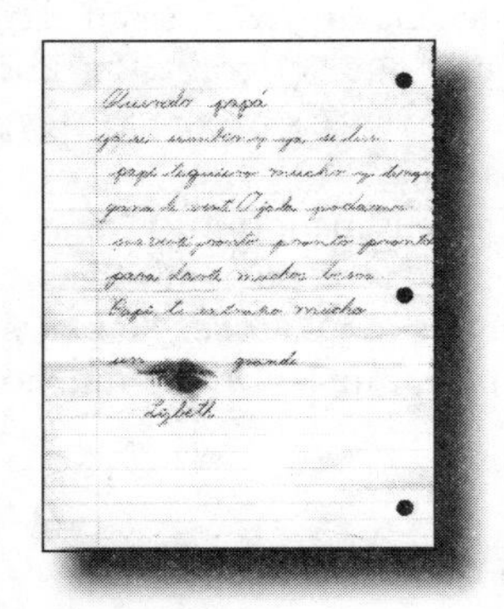

A Ramón
[transcripción]
Junio, 2004
[La Habana]

Querido papá:

Ya sé escribir y ya sé leer. Papi te quiero mucho y tengo ganas de verte. Ojalá podamos ir a verte pronto, pronto, pronto, para darte muchos besos.

Papi, te extraño mucho, un [muá] grande

Lizbeth

Gerardo Hernández Nordelo

A MIS HIJOS POR NACER

Adriana Pérez O'Connor

Gerardo y yo hicimos planes de tener hijos, pero la vida nos ha impedido ese sueño. Nos casamos el 15 de julio de 1988 y desde el año 1991 preparamos una canastilla casi completa, con la intención de que, cuando terminara mi carrera de Ingeniería Química, tuviéramos a nuestro bebé. Ahí está guardada. Nuestra ilusión era tener jimaguas (gemelos), pero tal vez por esperar tantos años y ya no ser tan jóvenes nos tengamos que conformar con uno solo. Hemos hablado varias veces por teléfono sobre nuestra esperanza de ser padres. Bromeamos acerca de cómo serán nuestros hijos y nuestras vidas con uno o dos pequeños en nuestra casa.

Por lo general, lo hacemos sin que esto nos afecte, simplemente para mantener una comunicación lo más cercana posible, como cualquier otro matrimonio. Ayuda mucho el sentido del humor de Gerardo. Mi sentido de la realidad, pudiera dar la imagen de que soy una pesimista, pero él logra romper tal percepción. Siempre está bromeando y eso aligera la carga emocional. Es como si nos protegiéramos el uno al otro, y dándome ánimos, él también recibe fuerzas y esperanzas. Así no hace daño. La ilusión está intacta, y de alguna manera eso explica por qué nos tratamos de «mi niña» y «mi niño grande», y nos mimamos como lo haríamos con un hijo. Aunque tenemos varios sobrinos a los que adoramos, estoy segura de que un hijo nuestro sería una criatura muy afortunada, muy feliz. No habría padre más especial para mis hijos que Gerardo.

A Adriana
Febrero 14, 1999
FDC-Miami

12E8[1]

Hay cosas que cuando se tienen
hacen difícil la vida:
la nostalgia, el enojo, la locura,
la soledad, el dolor, la censura,
la tristeza, el odio, la amargura.
Y hay cosas que cuando no se tienen
hacen difícil la vida:
la caricia, el abrazo, la ternura,
la lluvia, el rocío, la dulzura,
la pradera, el mar, la hermosura.

Pero hay dos cosas que hoy no tengo
y hacen casi imposible mi vida:
el sol
y tu sonrisa.

A Adriana
[transcripción]
Marzo 8, 1999
FDC-Miami

Sólo

Sólo en los días de sol inmenso,
o en las mañanas de húmedo andar
si el árbol mudo dibuja el viento,
o si la lluvia golpea el cristal.

[1] Piso 12, sección Este, celda 8. (Centro Federal de Detención de Miami.) Allí estuvo Gerardo diecisiete meses en solitario. [N. del E.]

Si en el silencio invoco tu risa
o alguna voz se me antoja igual
si el tiempo duele, lento o de prisa,
y de las penas ansío el final.

Sólo en las noches de eterna luna,
si mil estrellas se hacen mirar,
o si no alcanzo a contar ninguna,
y el cielo añora su palpitar.

Si el frío acecha junto a mi lecho,
si aun despierto intento soñar,
si no reposas sobre mi pecho,
o si en los sueños contemplo el mar.

Sólo si río o si estoy triste,
sólo si pienso en lo que yo fui
sólo si sé que el amor existe
sólo si vivo pienso en ti.

Mi Reina:

Quería que supieras que hay «momentos» en los que pienso en ti, y por eso te escribí este poema.

Te amo,

Gera

A Gerardo
[fragmento]
Enero 9, 2001
FDC-Miami

Es posible que no podamos tirar doble como dices, a lo mejor ni sencillo; no hay suficiente tiempo para eso.

«Tirar doble» significa tener jimaguas. Esto fue escrito después de las primeras llamadas, donde me dijo que si todo el proceso

salía bien tendríamos la posibilidad de dos hijos de una sola vez. En esas palabras mías él interpretó pesimismo, y yo sólo quise ser realista evitando que él se ilusionara desmesuradamente. Quería que él supiera que, si no teníamos nuestros hijos, yo lo iba a seguir queriendo siempre, que no me iba a sentir frustrada por ese hecho. Tampoco quería añadir más sufrimiento al que él ya tiene. Nuestra primera comunicación se estableció el 30 de diciembre de 2000 por teléfono, después de más de dos años de silencio: sin cartas, sin llamadas telefónicas, sin fotos, sin nada. A partir de ese momento y hasta principios de junio de 2001, escribíamos las cartas mientras transcurría el juicio y después, hasta diciembre, en los angustiosos momentos de la espera de la sentencia. Las cartas venían del Centro de Detención de Miami. A esas alturas ya estábamos casi seguros de que recibiría la cadena perpetua.

A Adriana
[fragmento]
Febrero 3, 2001
FDC-Miami

Te estoy mandando uno de los poemas que escribí antes, esta vez junto a un dibujo que hice. Es un dibujo que gustó mucho y tuve que hacer una pila para la gente. Por suerte hubo un tiempo en que pude sacar fotocopias y entonces sólo tenía que colorearlo. Ése y otros dibujos, como varios para niños que fui reproduciendo, están en varios países, porque aquí hay gente de todos lados. Como aquí todo es negocio y no es común que nadie haga nada de gratis, la gente me preguntaba qué quería por los dibujos: sopas, chocolates, o cualquier otro artículo de los que se venden aquí. Pero nunca le cobré nada a nadie, sólo les decía que me dijeran después si a los niños les había gustado y ya eso era suficiente.

Cuando te hablé de los dibujos de los niños me acordé de que yo había guardado para mí uno de cada tipo, ya coloreado, para tenerlo de recuerdo. Cogí uno para mandarlo y que tú lo guardaras, pero me dio lástima mandarlo vacío, así que le escribí una cosita. Aunque no es para ti, sé que será inútil pedirte que no lo leas. Lo que sí te voy a pedir es que lo guardes para en su momento dárselo a sus destinatarios. (Fíjate que no los llamé por los nombres que van a tener para no fajarnos desde ahora.) Y además te voy a pedir que no se te caiga el moco con eso, porque entones me voy a arrepentir de haberlo mandado. Sobre el contenido puedo decirte que no es que yo esté «tocado» con ese tema ni mucho menos, sino que se me ocurrió y me pareció un idea bonita para no guardar el dibujo vacío. (Sóplate la nariz si quieres...)

Se refiere a los dibujos que hizo para Lizbeth, la niña de Ramón, y para las hijas de otros presos. Ellos después les escribían a sus hijos en los pliegos dibujados previamente. La carta de la que habla Gerardo se titula «Carta a mis hijos que están por nacer». Me llegó relativamente rápido. Unos pocos días después de escrita. No la esperaba. René la incluyó en su Diario y ahí fue donde la leí por primera vez. Lloré muchísimo. Sin embargo, no le conté la magnitud de mis sentimientos ni todo el efecto que causó esa carta.

A sus hijos
Febrero 3, 2001
FDC-Miami

«Carta a mis hijos que están por nacer»

Queridos hijos:

Cuando lean estas líneas habrán pasado algunos años desde que fueron escritas. Ojalá no sean muchos. En esta fecha ustedes aún no han nacido, y hasta su mamá tiene dudas de si algún día nacerán.

Todo se debe a que estoy viviendo momentos difíciles de mi vida, lejos de mi país y mi familia, de los que sin embargo, estoy muy orgulloso y espero que algún día ustedes también lo estén.

Este es un dibujo que he hecho ya para muchos niños: hijos, sobrinos, hermanitos y otros familiares de personas que están

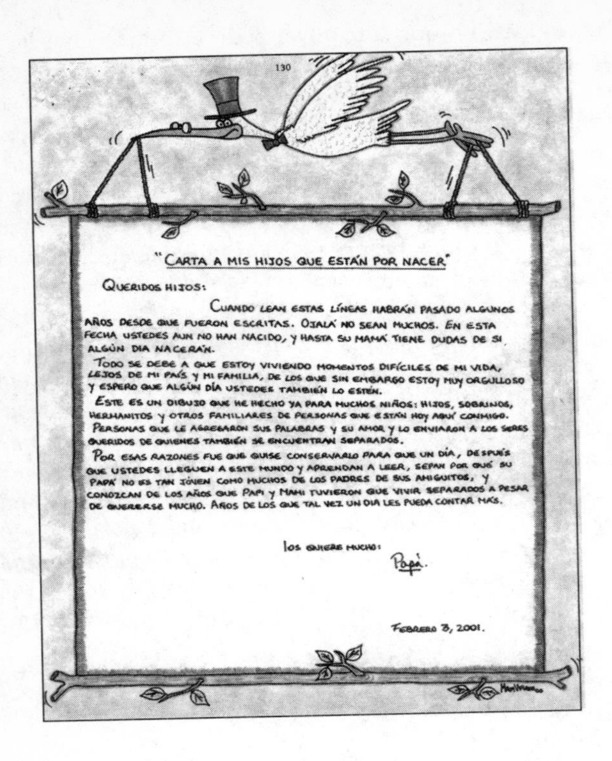

130

"CARTA A MIS HIJOS QUE ESTÁN POR NACER"

QUERIDOS HIJOS:

CUANDO LEAN ESTAS LÍNEAS HABRÁN PASADO ALGUNOS AÑOS DESDE QUE FUERON ESCRITAS. OJALÁ NO SEAN MUCHOS. EN ESTA FECHA USTEDES AUN NO HAN NACIDO, Y HASTA SU MAMÁ TIENE DUDAS DE SI ALGÚN DIA NACERÁN.

TODO SE DEBE A QUE ESTOY VIVIENDO MOMENTOS DIFÍCILES DE MI VIDA, LEJOS DE MI PAÍS Y MI FAMILIA, DE LOS QUE SIN EMBARGO ESTOY MUY ORGULLOSO Y ESPERO QUE ALGÚN DÍA USTEDES TAMBIÉN LO ESTÉN.

ESTE ES UN DIBUJO QUE HE HECHO YA PARA MUCHOS NIÑOS: HIJOS, SOBRINOS, HERMANITOS Y OTROS FAMILIARES DE PERSONAS QUE ESTÁN HOY AQUÍ CONMIGO. PERSONAS QUE LE AGREGARON SUS PALABRAS Y SU AMOR Y LO ENVIARON A LOS SERES QUERIDOS DE QUIENES TAMBIÉN SE ENCUENTRAN SEPARADOS.

POR ESAS RAZONES FUE QUE QUISE CONSERVARLO PARA QUE UN DÍA, DESPUÉS QUE USTEDES LLEGUEN A ESTE MUNDO Y APRENDAN A LEER, SEPAN POR QUÉ SU PAPÁ NO ES TAN JOVEN COMO MUCHOS DE LOS PADRES DE SUS AMIGUITOS, Y CONOZCAN DE LOS AÑOS QUE PAPI Y MAMI TUVIERON QUE VIVIR SEPARADOS A PESAR DE QUERERSE MUCHO. AÑOS DE LOS QUE TAL VEZ UN DIA LES PUEDA CONTAR MÁS.

LOS QUIERE MUCHO:

Papá.

FEBRERO 3, 2001.

hoy aquí conmigo. Personas que le agregaron sus palabras y su amor y lo enviaron a los seres queridos de quienes también se encuentran separados.

Por esas razones fue que quise conservarlo para que un día, después que ustedes lleguen a este mundo y aprendan a leer, sepan por qué su papá no es tan joven como muchos de los padres de sus amiguitos, y conozcan de los años en que papi y mami tuvieron que vivir separados a pesar de quererse mucho. Años de los que tal vez un día les pueda contar más.

Los quiere mucho,

Papá

A Gerardo
[fragmento]
Febrero 14, 2001
[La Habana]

Ese final de tu carta para «nuestros hijos por nacer», fue de rompe corazones. No hay dudas de todo el amor reservado para esos seres que serían una extensión de todos nuestros sentimientos.

Conociéndote tanto, he tenido siempre la seguridad de que serías un padre excelente. Toda tu imaginación, creatividad, inteligencia y sensibilidad humana te hacen merecedor de ese privilegio de ser padre. Nadie mejor que tú para lograr ese sueño y la mayor satisfacción para mí, es poder ser la elegida para cumplirlo. Quizás, no seamos tan jóvenes como otros padres, pero sí estaremos por encima de muchos.

Es difícil dejar de recibir toda la carga emocional que expresas a través de tus palabras, por eso le resultó imposible a René dejar de percibirla. Lo que escribió de ti me llegó muy profundo. Tú, como siempre, supiste llegar a lo más íntimo de mi ser. No es necesario decírtelo y he tenido dudas si darla a conocer o mantenerla en la reserva.

A Adriana
[fragmento]
Febrero 24, 2001
FDC-Miami

Me hubiera gustado que la carta a «mis hijos» te llegara primero la original, no la del Diario, porque en mi carta te explico cómo surgió la idea y cuál era su propósito. Yo no la hice para que todo el mundo la leyera. Ni siquiera estoy seguro de si quería que tú la leyeras ahora, así que no fue mi intención poner triste ni hacer llorar a nadie.

Me alegro que le haya gustado a quienes les gustó, pero mi principal interés no fue «artístico», sino que en realidad es para mis hijos. Si quieres déjala en la «reserva» como tú dices y no la hagas pública.

A mí también me llegó muy profundo lo que René escribió de mí. Yo no lo había leído hasta que no nos llegó una copia aquí, así que posiblemente lo leíste primero que yo.

Del Diario de René
[s/f]
FDC-Miami

Ayer alrededor de esta hora, mientras tecleaba en la máquina, entré al cuarto de Many (Gerardo) para tomar un aire y me mostró una carta que escribió a sus hijos por nacer. Al leerla tuve que retirar la vista para que no viera mis ojos húmedos y decidí que tenía que cerrar con ella esta semana mi Diario. Esta mañana se la comenté a Roberto [el hermano de René, abogado] y no pude tampoco evitar que se me nublara la vista; sé que hará llorar a más de uno de los que la lean y no me caben dudas de que entre ellos, tú [Olga, la esposa de René], pero se las quiero ofrecer a todos como un recordatorio de la calidad humana de este hombre con quien he tenido la oportunidad de compartir estos difíciles momentos.

A Gerardo
Marzo 11, 2001
[La Habana]

Te quiero mucho y sabes cuán difícil ha sido esto para mí, no tengo como expresártelo, y creo que no vale la pena, tú lo has sentido igual. Estabas claro cuando me dijiste: sóplate la nariz, con la carta que le hiciste a tus hijos. Pero no fue esa la que me dio nostalgia, sino la que me llegó en blanco y negro del Diario. La solemnidad que le imprimió el blanco y el negro fue un complemento de la nota.

A Adriana
[fragmento]
[s/f]
FDC-Miami

¿Te acuerdas cuando te dormía en el sillón, sobre mis piernas? Mi niña, me costaba tanto separarme de ti y era tan tierno verte dormida en mis brazos. Recuerdo cada detalle, como cuando guardaba en el bolsillo algún bombón o una galletica, para llevárselo a la casa a mi niña malcriada. ¿Te has puesto a pensar en que yo te crié? ¿Todavía me amas?

A Gerardo
[fragmento]
Abril 25, 2001
[La Habana]

Todavía te amo, sobre todo por creerte todas las cosas lindas que me dices. ¿Todo sigue siendo verdad? ¿Sigo siendo tu niña? ¿Y el día que tengas una de verdad, qué seré yo entonces?

Soy egoísta y me cuesta trabajo pensar que pasaría a otro plano. No me digas que nada cambiaría porque ya no me seguirías mimando igual cuando tengamos nuestros *hijos*. ¡En plural y todo! No me puedes negar que he cambiado y que ya pienso en eso como algo real y con más optimismo.

Hablando de hijos o hijo. ¿Quién te dijo a ti que el nombre del varón ya está definido sin negociación?

Eres un atrevido... Fíjate si me conoces que advertiste que este tema no tenía discusión. Sabías que yo iba a protestar, de lo contrario no sería yo. Acostúmbrate a la idea de que si es varón, «lo más probable» es que no se va a llamar igual que tú. Si te conviene bien, si no desisto de la idea de ser madre y hacerte padre. ¿De acuerdo?

A Adriana
[fragmento]
Abril 27, 2001
FDC-Miami

Yo estoy consciente de que mientras nosotros nos sacrificamos todo este tiempo, hay mucha gente que lo han aprovechado bien, que han «vivido la vida» estos años, porque eso es «lo único que se van a llevar», como se suele decir. Pero a mí no me interesa tanto lo que me voy a llevar como lo que voy a dejar. Esa gente «pasará por la vida sin saber que pasaron», como diría [José Ángel] Buesa, en cambio nosotros tenemos ya un legado de abnegación y sacrificio que dejar a nuestros hijos y nietos, un ejemplo y una historia para recordar, aunque resulte inmodesto decirlo.

Cuando éramos novios no hablamos de hijos. Todo estaba sujeto a que yo terminara mi carrera. Pero cuando la terminé, ya casados, esta era una idea que acariciábamos y que se ha fortalecido con el tiempo. ¿Quién iba a suponer que íbamos a estar tan lejos uno del otro? Había todavía mucha juventud por delante. Pero ahora tengo treinta y tres años. Sin embargo, nuestro mayor deseo es criar a nuestros hijos en pareja. Juntos. Si no es así, entonces nos tendremos siempre el uno al otro.

A Adriana
[fragmento]
Abril 29, 2001
FDC-Miami

Me pregunto una y otra vez si mi amor es tan grande que ya es «enfermizo», pero no puedo evitarlo. En mi caso debe ser que tú todavía eres para mí aquella niña de dieciséis años, ingenua e indefensa... En fin, a veces pienso que tú sigues y seguirás siendo siempre para mí esa niña, y por eso tendrás que aguantarme muchas descarguitas, consejitos y cositas más (eso tiene una parte buena, porque cuando seas una vieja fea te seguiré diciendo «mi muñequita preciosa»).

Siempre te he dicho que prefiero una hembra primero, porque como será la más pequeña y esperada por toda la familia, todos podrán malcriarla y como ya estarán cansados y aburridos cuando nazca el varón no corremos riesgos de que lo malcríen a él. Además, dicen que las niñas quieren más a su papá y yo después de tanto tiempo rodeado de hombres lo que quiero es estar rodeado de mujeres cuando salga de la cárcel. De ser una niña podré mimarla como a ti y así te veo celosa cuando la bese y la atienda más a ella que a ti. ¡Qué malo soy! ¿Tú crees que eso pase? Yo no sé a estas alturas, pero hubo una época en que tú tenías algún que otro temorcito parecido. No te preocupes, mi amor. Eso no será así, te lo prometo. Tú siempre serás mi niña predilecta. Tómame la palabra por si crees necesario recordármelo algún día, aunque yo sé que eso no va a hacer falta. Van a apagar ya, están atrasados. Hasta mañana, mi muñequita. Te quiero mucho. Un beso.

A Adriana
[s/f]
FDC-Miami

Pregón de cascabel

Las llaves,
con su pregón de cascabel,
te destierran sin piedad
del reino de los sueños.
De nada vale que hayas escogido
tu mejor compañía
y camines junto a ella
frente al más verde de los mares,
entre espumas y caricias tomados de las manos,
riendo o llorando sin saber por qué
amando con ávida pasión,
deseando conservar el instante para siempre.
De nada vale que te aferres a una ola,
o a la sombra de sus pies sobre la arena,
ni que intentes retenerla entre tus brazos.
El mar se extinguirá de repente
llevándose con él su olor,
el brillo de sus ojos y su risa, ahogando en la memoria los momentos
en que fuiste otra vez libre.
Te hallarás solo nuevamente,
sin más opción que rehacer el camino
pacientemente hacia el reino de los sueños,
atravesando augurios y desdichas,
escalando temores y rencores,
bordeando angustias e injusticias.
Y lo harás,
desafiando el acoso
melódico y punzante de las llaves,
que te recuerdan dónde estás,
con su pregón de cascabel.

Lo harás,
porque sabes que al final estará ella
esperándote como siempre junto al mar
para vivir hoy el sueño
que harán realidad mañana.

A Gerardo
[fragmento]
Mayo 26, 2001
[La Habana]

¿De verdad que es imposible negociar el nombre del varón? Jamás pensé ponerle un nombre como esos que mencionas. Yo pensé en rescatar nombres de nuestra cultura e idiosincrasia como Bartolomé, Eustaquio, Genaro, Hipólito, Clemente, Filomeno... ¿No me negarás que son más bonitos que el tuyo?

Si es una hembra, ¿qué diferencia tiene con el varón respecto al nombre? Imagínate, tendrías que ponerle Geraldina. Las hijas de Ramón podrían haberse llamado Ramona y Ramoneta en vez de Laura y Lizbeth; las de René, Renata y Renela, así honraban el nombre de sus padres. Los varones casi siempre están obligados a llamarse como los padres por el machismo. De todas formas esperemos nuestro momento.

Te confieso que en el fondo yo sabía que tú preferías una hembra, igual que yo, pero me gustarían dos hijos igual que a ti y que el segundo sea varón. Pero al final, con tal de que nuestro hijo sea saludable, inteligente, honesto y habilidoso como tú y con pelo como yo ya es suficiente. Las demás cualidades de ambos están implícitas siendo hijo nuestro. Lo único que no quisiera es que fuera desorganizado y mal jugador a la pelota como tú y mal genioso como yo. Lo demás no importa porque tendrá lo principal: mucho amor.

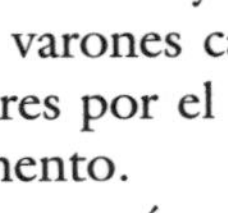

A Gerardo
[fragmento]
Junio 14, 2001
[La Habana]

Siempre me he sentido temerosa con el cariño y las atenciones de tu parte para un hijo, pero viviría orgullosa si todo el amor y las atenciones que me has ofrecido se las dieras a un hijo. Te aseguro que no me pondría celosa porque te sobra amor para él y para mí.

A Adriana
[fragmento]
Junio 16, 2001
FDC-Miami

Estoy deseoso de recibir tus cartas, mi niña. Espero que las recibas cualquier día a partir de mañana. En estos días he estado revisando unos papeles viejos de cuando estábamos en «el hueco» y hay algunas notas que tomaba cuando leía algo interesante con la idea de algún día hacértelas llegar.

Una, por ejemplo, dice que hay nutrientes que son esenciales para las embarazadas, como por ejemplo el DHA (presente en el salmón, atún, sardinas, carne de órganos, huevos y algas); el ácido fólico (vegetales verdes, maní, hígado, granos o tabletas de 0.4 mg); y el hierro (hígado, granos). También dice que se pueden tomar suplementos vitamínicos, pero evitar dosis excesivas, pues hay vitaminas como la A, D y E cuyo exceso puede crear problemas. Y, por supuesto, evitar la cafeína, el cigarro.

¿Entonces te gustó el nombre de Mariana para la niña? Tal vez esté mejor que el de Adribell: Adri, por Adriana, y Bell, por Bella. Así estaría en ella también el nombre de su mamá, lo que no me parece nada mal.

El otro día leí que en ocasiones ocurren unos movimientos telúricos debajo del océano, que generan unas olas gigantes a las cuales se les conoce como TSUNAMI, un término japonés. Pienso que si le quieres poner un nombre poco común a tu hija (ya que tendrá los apellidos que tendrá) SUNAMI no queda mal, está original, y como a la mamá le gusta tanto la playa... Lo más malo es que cuando le achiquen el nombre, ¿cómo le dirán?: «Suna», «Suni», «Sunamita»... No me gusta, suena a «dinamita». En fin, tenemos tiempo para decidir el nombre de la niña. Te dejo por hoy, puchucha, porque quiero hacer un poco de ejercicios. Un besote grande y uno mariposa. Chao, te amo.

Nos reímos mucho con esto siempre. Imagínense a TSUNAMI con nuestros apellidos: Hernández Pérez, que son muy comunes en Cuba.

A Adriana
[fragmento]
Septiembre 29, 2001
FDC-Miami

Ahora voy a contarte algo que me ocurrió, una de esas cosas que pasan y que son casualidades que lo ponen a pensar a uno. Como ya te conté, en una fecha tan significativa como el 28 de septiembre recibimos la tan esperada y deseada visita de nuestros hermanos José Anselmo López y David Díaz, cónsul y vice-cónsul, respectivamente, de la Oficina de Intereses de Cuba en Washington.

En esa oficina hay nueve pioneritos y creo que pronto llegarán dos más. Son hijos de nuestros diplomáticos. Una de ellas, Ahymed nos envió hace poco una carta muy bonita y nosotros se la respondimos. Durante la visita Anselmo nos dijo que el próximo 8 de octubre tres de los niños ingresarán oficialmente a la organización de los pioneros y que si nosotros le dedicábamos algo, ellos lo leerían en la actividad de ese día y se alegrarían mucho. La «tarjeta» me tocó a mí. Cogí un papel y un bolígrafo y me puse a pensar qué hacer para ellos, qué podría dibujarle a unos pioneros para expresarles lo que queríamos, lo primero que me vino a la mente fue Elpidio Valdés (no estoy seguro si en su caso se escribe Valdéz). Comencé a hacer un boceto y al terminar, a pesar del tiempo que hace que no lo veo, se parecía bastante... pero no era él. Si se hubiera tratado de el Pájaro Loco o de Mickey Mouse los pioneritos no hubieran notado la diferencia, pero a Elpidio Valdés sólo lo puede dibujar una persona. Entonces pensé decirles que se trataba de «el primo de Elpidio Valdés», pero eso hubiera sido un «sacrilegio», por lo que desistí de la idea, y terminé dibujando cuatro márgenes con banderas cubanas y en el centro escribimos un mensaje muy bonito.

Volviendo a Juan Padrón, si tienes la oportunidad de conocerlo, y si no va a parecer un abuso de confianza, dile que me gustaría tener un Elpidio Valdés dibujado por él para montarlo en un cuadrito y ponerlo en el cuarto de mis hijos y nietos.

Elpidio Valdés es un personaje de las historietas infantiles, que todos los niños cubanos conocen. Y no sólo los niños, porque nosotros también crecimos con sus aventuras. Es un personaje de ficción, un mambí, un hombre que lucha contra el ejército colonialista español y gana todas las batallas. Su autor, Juan Padrón, siempre llena de humor estas aventuras y Gerardo las disfrutaba mucho, como un niño. La coincidencia a la que se refiere es que en la última carta mía, yo le decía que un familiar nuestro había estado conversando con Padrón.

A Adriana
[fragmento]
Octubre 26, 2001
FDC-Miami

Hoy es octubre 26 y son las 10:22 a.m. Tú sabes que me pongo veces a pensar que cuando tenga un hijo lo voy a criar desde chiquito en contacto con la naturaleza y con los animales. Vaya, no Tarzán ni nada de eso, pero que no sea de esos niños que la primera vez que ven un chivo se echan a gritar. La voy a enseñar a que desde chiquita (porque ya quedamos en que la primera sería hembra) le gusten los animales, y que desde chiquita tenga, en dependencia de las condiciones, un curiel, un conejo, un chivito, un puerquito... o algo así (si no pueden ser todos). Ya yo te dije que tengo un sueño recurrente con conejos y en todos los sueños es igual: los tengo pasando hambre. (¿Será que mi coneja eres tú?) Yo creo que es un cargo de conciencia de una época en que ya se me hacía muy difícil atender los conejos y, los pobres, pasaron las de Caín. Pensándolo bien, durante mi infancia en la casa hubo: perros, gatos (clandestinos, porque mi mamá no quería), gallinas, patos, guanajos, conejos, chivos, carneros, caballos (un día nada más, porque mi papá me mandó a sacarlo), palomas, puercos, jutías (sólo unos días pre-cazuela), curieles, jicoteas, majá (se me fue de la jaula y mi mamá decía «procura que un día no me salga grandísimo de adentro de un closet»), ratones blancos (me los regaló Pepe [vecino], y me mordieron y tuvieron que llevarme a Zoonosis), pescaítos, pajaritos (se caían de las matas de coco y los criaba hasta que emplumaban y después los soltaba...), creo que no me falta nada... sí, codornices que les hice tremenda jaula con Iván [vecino] pero se murieron todas, y guineos. ¡Un zoológico! Para que tú veas, nunca tuve cotorra, aunque estuve a punto varias veces nunca se me dio. Yo tenía que haber sido veterinario.

(¡Me faltó!, camarones de río, que los tenía en una palangana y una biajaca).

¿Y eso que me habrá dado a mí por hablar de animales esta mañana? No sé. Debe ser que estoy enamorado como un perro y extraño mucho a mi leona y me dio por escribirle aunque fuera de lo que pica el pollo. Pero ya, me voy a almorzar, y después voy a seguir adelantando las cartas de los demás. Te extraño mucho mi princesita. Tengo unos deseos enormes de despeinar tus cejitas con mis labios para verte como tú me dices «no chico...» y te las vuelves a peinar... ¡llega, tiempo!... *come on, time!...*

A Gerardo
[fragmento]
Noviembre 19, 2001
[La Habana]

Yo me alegro de que tu intención de criar a un hijo sea en contacto con la naturaleza, y esto es excelente. Pero ve pensando en ahorrar gasolina para que lo lleves al Parque Lenin, al Zoológico, al Jardín Botánico y al Acuario. Si seguimos viviendo así, en esta casa, sólo el Parque Lenin te quedará cerca para visitarlo cada vez que quieras ponerlo en contacto con la naturaleza, y aquí no hace falta criar nada porque hay de todo. Fuera de la perra, lo único que te permito es una cotorra... Si hubieras sido veterinario no hubieras tenido un epistolario tan amplio.

Si vivimos en otro lugar, no tendrás espacio para tus planes. A mí me gustan los pajaritos, los peces y las jicoteas. Si algo de eso podemos tener, porque las condiciones estén creadas y tú los atiendes, entonces dalo por hecho.

¿Te imaginas lo que me pasaría a mí, si un hijo nuestro sale con ese fanatismo tuyo y de mi hermano a los animales? Sufriría muchísimo con la casa llena de animales, no quiero ni pensarlo, quien no quiere caldo, tres tazas.

A Adriana
[fragmento]
Diciembre 25, 2001
FDC-Miami

Yo estoy muy bien corazón, sólo que un poquito agitado, porque estos días han sido muy intensos y no he tenido tiempo para jugar dominó ni para ver una película. Fernando [González] me contó que uno de su piso le dijo que me había visto abajo el día después de mi sentencia (debe ser en la visita del abogado o de mi mamá) y que en vez de notarme afligido me notó más alborotado que nunca. Algo parecido me dice la gente de aquí, porque imagínate, siempre que alguien baja a sentencia y regresa con diez o quince años en las costillas se pasa dos semanas sin salir del cuarto y nosotros, a pesar de las cadenas perpetuas y el montón de años estamos como si nada. Yo le digo a la gente que lo que pasa es que siempre he sido una persona de mucha «fe».

Te quiero mucho, mi amor. Que pases un fin de año muy feliz dentro de lo posible y que el año entrante nos traiga muchas cosas buenas.

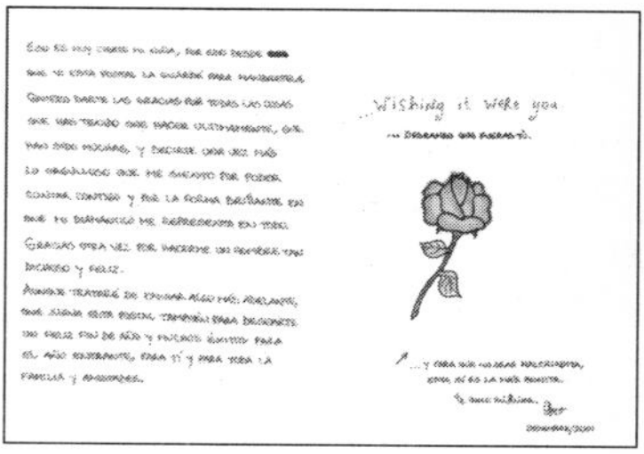

A Adriana
[postal, transcripción]
Diciembre, 2001
[FDC-Miami]

Eso es muy cierto mi niña, por eso desde que vi esta postal la guardé para mandártela. Quiero darte las gracias por todas las cosas que has tenido que hacer últimamente, que han sido muchas, y decirte una vez más lo orgulloso que me siento por poder contar contigo y por la forma brillante en que mi diamantico me representa en todo. Gracias otra vez por hacerme un hombre tan dichoso y feliz.

Aunque trataré de enviar algo más adelante, que sirva esta postal también para desearte un feliz fin de año y muchos éxitos para el año entrante, para ti y para toda la familia y amistades.

...deseando que fueras tú.

...y para que no seas malcriadita, esta sí es la más bonita.

Te amo mi Reina,

Gera

A Adriana
[postal, transcripción[2]]
Marzo 16, 2002
USP-Lompoc

¿Ya te explicaron cuáles son las reglas para la visita?

Un abrazo con besito a la entrada y un abrazo con besito a la salida... y ya!

El resto del tiempo tendré que conformarme, si acaso, con...

¡...olerte!

¡...y las manos arriba de la mesa!

Tengo muchos deseos de verte, mi niña, pero de verdad pienso que voy a sufrir cantidad con esas reglas... Voy a tener que ver al médico para que me de una pastillita antes de la visita... (o un «electro-shock»...)

Te quiero mucho

Gera

[2] Esta postal fue enviada cuando ya Gerardo sabía que Adriana tenía la visa para viajar a Estados Unidos. [N. del E.]

En julio de 2002 recibí la visa del Departamento de Estado para viajar a Estados Unidos. Pero me dejaron detenida en el aeropuerto de Houston, Texas, durante once horas. Cuando pisé territorio norteamericano, me retiraron los documentos. A los cinco minutos el Servicio de Inmigración me comunicó que no tenía ningún problema migratorio, pero era de interés del FBI por ser la esposa de Gerardo. Algo muy raro, imposible de explicar racionalmente, porque jamás yo había estado en ese país y no soy peligro para una nación tan poderosa donde se sabía perfectamente que sólo iba a visitar a un hombre encarcelado. Fui interrogada, me tomaron todos los datos físicos, mis huellas dactilares, me «ficharon». De pronto me vi ante un cruce de caminos: regresar de inmediato a Cuba, o presentarme ante un juez de inmigración, sin garantías, con la posibilidad de una deportación y una sentencia condenatoria. No puedo entenderlo. Nadie podría entenderlo. Me han negado ver a mi esposo, tener un mínimo contacto físico con él, una conversación, la posibilidad de decirle frente a frente que lo quiero.

A Adriana
[postal, transcripción]
Agosto 11, 2002
USP-Lompoc

Ná, mentira mi niña, no le vamos a dar el gusto a esta gentuza, así que guapea ahí, que estoy muy orgulloso de ti. Eso no es nada nuevo, pero te lo tengo que decir otra vez, porque ahora es un poquito más «entoavía».

Te amo

Gera

A Adriana
[fragmento]
Abril 9, 2003
USP-Lompoc

Mi niña:
...esta carta te la estoy escribiendo, aprovechando los momentos libres, porque tengo muchas cosas que hacer y «me coge la confronta». No sé cuán larga será, pero de todo lo que tengo que decirte lo más importante es que TE AMO, y que todo este tiempo que pasé en «el hueco» sirvió para ratificarme lo importante que eres en mi vida. Es increíble cómo el sólo pensar en ti puede cambiar por completo y para bien mi estado de ánimo, y llenar de oxígeno mis pulmones. Pensé mucho en nosotros, en el «nidito» y en los deseos enormes que tengo de estar allí, solito contigo. Tú eres mi «resguardo», mi «talismán», mi «azabache», y cada día que pasa me convenzo más de que no podría vivir sin ti. Otra cosa importante que tengo que decirte es que mientras más noticias me llegan de todo lo que ocurrió durante nuestro encierro, más orgulloso me siento del apoyo de nuestro pueblo y gobierno, de nuestros familiares, y de los miles de hermanos y hermanas que tenemos alrededor del mundo. Cada vez que te reúnas o te comuniques con algún compañero de los grupos de Solidaridad, exprésales mi profundo agradecimiento y que tarde o temprano habremos de alcanzar la victoria.

Yo estoy bien de salud, mi amorcito, no tienes nada de qué preocuparte, y no quiero terminar esta primera página sin pedirte de nuevo que te cuides mucho. ¿Conseguiste la vitamina E de 500 nueva? ¿Estás tomando alguna otra vitamina? ¿Y el ácido fólico? Éste es muy importante para la salud de Gerardito, a quien tienes que comenzar a cuidar desde ahora.

Gerardo ha estado tres veces en «el hueco». Después de la primera reclusión en solitario en Miami —donde estuvo diecisiete meses—, Gerardo pasó cuarenta y nueve días aislado, tras el veredicto de culpable. Pero en esta carta se refiere a la «caja», una versión más brutal que «el hueco». En vísperas del inicio del proceso de apelación, lo tuvieron un mes en ropa interior, sin contacto con familiares ni abogados, sin visita consular, sin posibilidad de escribir o leer. Aquella «caja» tenía filtraciones de aguas albañales y no podía distinguir cuándo era de día o de noche. Como en los confinamientos anteriores, fueron sometidos a ese brutal aislamiento sin causa alguna. No había indisciplina. Ni fue prevenido. Todo lo contrario. En Lompoc, lo amenazaron con mantenerlo en esa situación durante un año, o más.

A Adriana
[postal, transcripción]
2003
USP-Lompoc

MI AMOR:
CUANDO MI MAMÁ LE ENTREGÓ
A LA REVISTA "PIONERO" LAS
FOTOS DE MI INFANCIA LE
FALTÓ ESTA, PARA QUE
HUBIERAN VISTO LO CORTÉS
Y CARIÑOSO QUE SIEMPRE
FUI CON LAS NIÑAS...

Mi amor:
Cuando mi mamá le entregó a la revista *Pionero* las fotos de mi infancia le faltó esta, para que hubieran visto lo cortés y cariñoso que siempre fui con las niñas...

Aparte del bonche (y del gesto...)
se parece a mi cuando era chiquito...
(lo único que, en vez del "pulovito" de
rayitas era una camisita de cuadritos...)
Te quiero mucho mi Reina.
Hoy es 15 de julio, así que
otra vez: ¡Felicidades!
te amo. Gera.
USP-Lompoc./2003

Aparte del bonche (y del gesto...) se parece a mí cuando era chiquito... (lo único que, en vez del «pulovito» de rayitas era una camisita de cuadritos...)

Te quiero mucho mi Reina.

Hoy es 15 de julio, así que otra vez: ¡Felicidades!

Te amo,

Gera

A Adriana

[fragmento]

Abril 23, 2003

USP-Lompoc

Mi muñequita preciosa:

De nuevo estoy aprovechando el tiempo. Esta carta debe llegar bastante próxima al Día de las Madres, así que te pido que las felicites a todas en nombre mío, familiares, amistades, conocidos... y les expliques a quienes creas necesario que esta vez cuando fui «al hueco» me botaron la reservita de postales que había estado acumulando para ese día. Además, por supuesto, para que después no te me quejes como el año pasado, te felicito a ti: ¡Felicidades mamá! Ya te expliqué que quiero la hembra primero, porque si Gerardito es el primero va a salir muy ñoño y malcriado, es mejor quitarnos la chochera con la hembrita y tener el varón después. ¿Te gusta el nombre de Karen para la niña? ¿En Cuba hay muchas Karen? En fin, te felicito, mi reina. Sé que ese día recibirás muchas felicitaciones y la mía no puede faltar, porque en definitiva soy el culpable de que seas una «madre virtual». Y no te preocupes, el día llegará en que seas una madre biológica (aunque si no llega, debes saber que teniéndote a ti yo no necesito nada más para sentirme realizado).

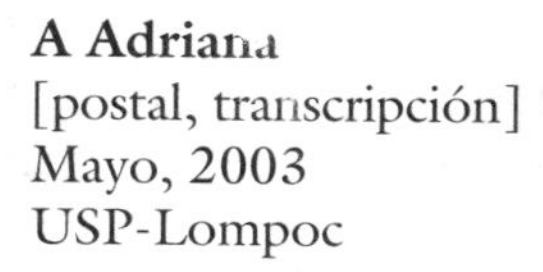

A Adriana
[postal, transcripción]
Mayo, 2003
USP-Lompoc

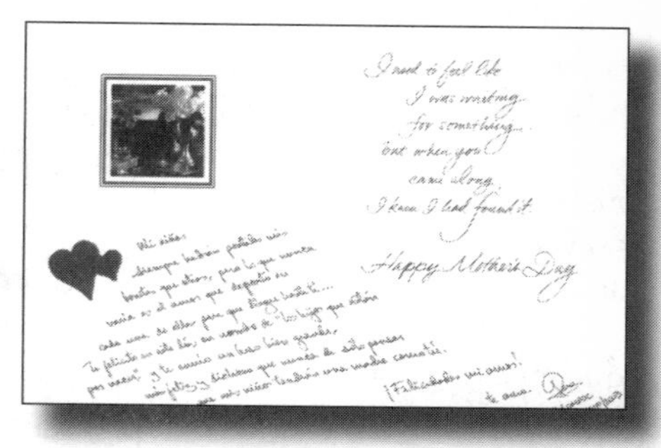

Mi niña:
Siempre habrán postales más bonitas que otras, pero lo que nunca varía es el amor que deposito en cada una de ellas para que llegue hasta ti...

Te felicito en este día, en nombre de «los hijos que están por nacer», y te envío un beso bien grande, más feliz y dichoso que nunca de sólo pensar que mis niños tendrán una madre como tú.

¡Felicidades mi amor!

Te amo,

Gera

A Adriana
[fragmento]
[s/f]
USP-Lompoc

Aprovecho para decirte (y presta atención porque posiblemente sea lo más serio de esta carta), sobre lo que me preguntaste por teléfono, que de la única manera que yo me arrepentiría de haber estado aquel día en la parada de la 32, o aquel otro en la Playita de 16, o el otro en el Palacio de los Matrimonios de Mayía Rodríguez... sería que algún día tú misma llegaras a arrepentirte, que tuvieras dudas de si eso fue o no algo positivo en tu vida, algo que repetirías si pudieras echar el tiempo atrás, que tuvieras dudas de si optarías por volver a vivirlo o no. Yo me arrepentiría si a ti algún día te llegara a pesar, si pensaras que no valió la pena tanto sufrimiento y tanto tiempo «perdido», tanto dolor y tantos sacrificios, que hubiera sido preferible seguir otro camino y vivir la vida de otra manera, y tener ya a estas alturas tu hogar, tus hijos y una felicidad plena que hoy no tienes. Si algún día a ti eso te pasara por la mente, si lo pensaras aunque fuese un momentito, si tuvieras la más mínima duda respecto a si decidir vivirlo todo de nuevo o no, entonces yo me arrepentiría de lo que ocurrió en esas fechas. Y tal vez te resulte contradictorio que yo te diga ahora que puedo arrepentirme, cuando te he dicho muchas veces que tú eres lo mejor que me ha ocurrido en la vida, pero no hay contradicción. Por el contrario, por ser tú lo mejor que me ha ocurrido, no podría nunca, pase lo que pase, desearte otra cosa que no sea felicidad.

Nos conocimos en una parada de ómnibus, en plena Rampa habanera. Llegué retrasada, y mi amiga y yo logramos sentarnos juntas en un solo asiento. Él se quedó de pie, y se las ingenió para sacarle conversación a mi compañera, que le contó que éramos estudiantes de Química. Ese día no cruzamos una palabra, pero al siguiente, nos volvimos a encontrar en la misma parada de ómnibus. Se apareció con unos versos: «Poema a la muchacha de la parada». No tenía ni idea de mi nombre. Al tercer día, me fui antes para no encontrarlo. Al cuarto, él fue quien se apareció muchísimo más temprano. Comenzamos a salir, a conversar como amigos. Poco después me invitó a la Playita de 16, en Miramar, muy cerca del Instituto de Relaciones Internacionales, donde se graduó de diplomático. «Mira aquel barco», me dijo, apuntando hacia la izquierda. Y, en verdad, había un lindo yate detenido en un punto en el horizonte. «Mira, aquel otro», y señaló a la derecha. Cuando volví el rostro, lo que me esperaba era un beso. Un barco para aquí, otro para allá… «Y después no querías salir de la Bahía de La Habana», me decía riendo porque a partir de ahí ya no faltaron los besos.

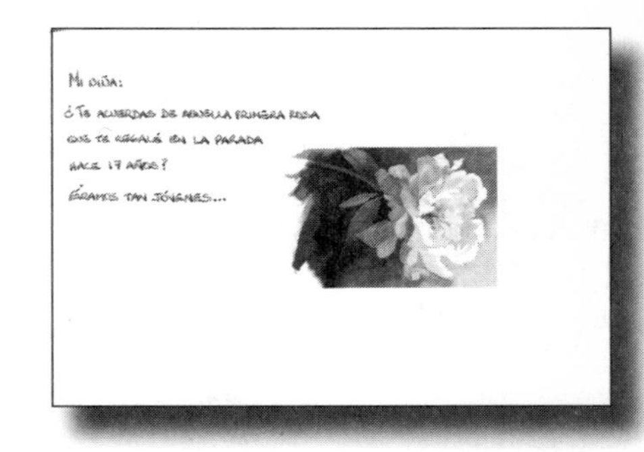

A Adriana
[postal, transcripción]
2003
USP-Lompoc

Mi niña:

¿Te acuerdas de aquella primera rosa que te regalé en la parada hace 17 años?

Éramos tan jóvenes...

A Adriana
Octubre 20, 1986
La Habana

Poema a la muchacha de la parada

Ante mí apenas distingo una silueta
que se empeña en dibujar ademanes didácticos,
y a mis oídos casi llegan detalles
de conceptos jurídicos y conflictos internacionales;
pero en mi mente sólo está aquella muchacha
de la parada,
la estudiante de Química
cuyo nombre ignoro,
aunque conozco su tímida mirada,
porque día a día agiganta el hechizo
de los amaneceres en La Rampa.
Esa muchacha tal vez mañana,
cuando al sentarse tome cortésmente mis libros
se entere que un desconocido,
admirador de su belleza,
desatendió una clase
por escribirle este poema.

(Escrito en un turno de Derecho Internacional.)

A Adriana
[fragmento]
Junio 1, 2003
USP-Lompoc

Mi princesita:

¡Qué cariñoso yo soy vieja, y no me da pena!

¿Todavía estás tan delgadita cómo en esa foto que me mandas, donde estás firmando los folletos? Trata de mantenerte así, saludable pero delgada, porque ya bastante que vas a engordar después, cuando yo te llene la pipa (embarace)... Aunque ya desde ahora estoy pensando en nuestra rutina de ejercicios todas las tardes, nos vamos a poner a correr por la plaza, ¿quieres? Y cuando nazca Karen, la dejamos con Vivian, la vecina, mientras corremos. O llevamos a Gerardito y Karen para la casa de tu mamá...

¿Por fin no te gusta el nombre de Karen? Entonces, ¿Mariana?... ¿Tampoco? ¿Gerana?... ¿Gedriana?

Te extraño mucho, mi corazón, muchísimo. Tú sabes que eres importante en mi vida pero no te imaginas cuán importante. Cuídate mucho, nena ¿Te estás tomando la vitamina E? ¿Es de 400? ¿No se te olvida? ¿Viste cómo yo te cuido? Tú no sabes nada nena, deja que estemos juntos, te vas a volver diabética de lo dulce que voy a ser contigo.

Cuando pienso en Gerardo, condenado a dos cadenas perpetuas, siento que yo también he recibido esa misma condena. No sólo estoy sufriendo por tenerlo preso, por su propio dolor, sino como esposa que no puede tener un matrimonio feliz como cualquiera, que no puede tener hijos como cualquiera. Me pregunto muchas veces por qué no me dan la visa para ir a Estados Unidos y poder visitarlo en la cárcel. ¿Por qué no me permiten ver a mi esposo, un hombre condenado a dos cadenas perpetuas? La única respuesta posible es que yo también estoy presa. Sobre mí pesa una condena de dos cadenas perpetuas. O mejor, de tres cadenas perpetuas: la que nos impide vernos incluso en esa terrible circunstancia. Yo soy el instrumento de las autoridades norteamericanas para presionar a Gerardo. Eso no lo decidió ningún tribunal, pero es lo que dicen los hechos.

A Adriana
[fragmento]
Junio 15, 2003
USP-Lompoc

¡Ñó! Me duele el pecho.... tengo el corazón destrozado, voy a tener que hacerme otro electro... Hoy es Día de los Padres y también se cumplen catorce años y once meses de que nos casamos (¡hasta una postalita te había hecho por el día de hoy!) y se cumplen ¡quince años! de que dimos la primera firma... Bueno, no quiero comenzar ningún tema en estos cuatro renglones que quedan, así que los voy a gastar en decirte que te quiero mucho, y que estoy loco por ir para allá, para que me acabes de dar una princesita con la cual pueda compartir todo este amor que ya no cabe en mi corazón, y que es demasiado para mi reina, sola...

A Adriana
[fragmento]
Junio 26, 2003
USP-Lompoc

Casualmente tu carta comienza felicitándome por el Día de los Padres. ¡Gracias! A lo mejor entre las postales tuyas que recibí hoy (hay dos chiquitas) y que no quiero abrir hasta el día 15, viene una por el Día de los Padres...

A Adriana
[postal, transcripción]
2003
UPS-Lompoc

¡Quince años han pasado y nuestros corazones se mantienen tan unidos como aquel día!

Te amo

Gera

Qué dichosa es esta mujer. ¡Caballero! Miren eso como ha recibido cositas por sus quince años de haberse sacado la lotería... ¡Y todavía se queja! Postalitas, corazoncitos, sellitos... Aprovecha ahora, porque estoy llegando a los cuarenta y en cualquier momento maduro...

A Adriana
Agosto 11, 2003
USP-Lompoc

Mi amor:

Estamos entrando en una etapa importante, mi corazón. Este año se ha ido volando, y como aquel que dice pronto habrá una decisión de la corte de apelaciones. Tenemos que estar más unidos que nunca. Te necesito más que nunca. Te necesito más que tú a mí. Tú eres lo más importante en mi vida, no concibo mi vida sin ti. Cuando cada mañana abro los ojos mi primer pensamiento es siempre para ti, y saber que existes, que te tengo, que puedo contar contigo, es lo que me da esas primeras energías tan importantes de cada día. Sé que estoy obsesionado contigo («y el mundo es testigo de mi frenesí»...) Sé que te sobreprotejo en algunas cosas (está bien, en todas...) Yo sé que me preocupo demasiado, pero tienes que comprenderme, mi reina, yo no sé que sería de mí si a ti te pasara algo. Tengo treinta y ocho años, y cuando me pongo a hacer el recuento de mi vida no puedo separarme de ti ni en el recuerdo, me parece que estabas conmigo en preescolar, y en la escuela al campo, y en todos lados... (¿estaré «quemaíto» de verdad...?) Nosotros tenemos lo más importante, mi niña, nos tenemos el uno al otro, tenemos este amor inmenso que ha superado todas las pruebas, a partir de ese punto, podemos lograr cualquier cosa. Sólo necesitamos un poco más de paciencia, optimismo, y sobre todo pensar mucho el uno en el otro, tenernos siempre presente. Te amo, reina. No te imaginas cómo se me estremece todo el cuerpo sólo de pensar en el momento en que te tendré entre mis brazos y besaré tu frente y esos ojazos que son mi perdición. ¿Tú sabes cuál es el proyecto más importante que tengo en mi vida? ¿Cuál es la más importante de todas las razones por las que debo regresar? ¿El motivo fundamental por el que quisiera vivir muchos años? ¿La principal causa a la que quiero dedicar todas mis fuerzas y todas mis energías por el resto de mis días?: a hacerte feliz y poder corresponder a todos tus sufrimientos, a todos tus sacrificios y a todo el amor que me has dado durante todos estos años. Quiero verte reír todos los días, saberte feliz. Esa será la mayor gratificación que pueda recibir por mis esfuerzos. Te quiero mucho, nunca albergues la más mínima duda. Me voy a dormir. Hasta mañana. Te amo.

A Gerardo
[fragmento]
Octubre 29, 2003
[La Habana]

Hoy me negaron la visa por tercera vez. No podré ir a verte. Hace mucho tiempo que he deseado decirte otras cosas que siento, y a veces me contengo. Sé que tus carceleros revisarán estas notas, que nuestra intimidad pasará de algún modo por sus manos. Es eso lo que me contiene, y también, el miedo de espantar la esperanza. Siempre espero el milagro de un sí cuando pido la visa. Me aferro a la ilusión del encuentro que sigue dilatándose. Pero este eterno esperar, esos meses que se prolongan para que ellos (el gobierno norteamericano) den una respuesta —ese «no» que finalmente llega—, los vivo con la absoluta convicción de que somos víctimas de un cruel ensañamiento, de una modalidad muy refinada y siniestra de tortura psicológica. Me produce tanta rabia, que no puedo llorar. No quiero llorar.

Me sostiene esta felicidad que siento cada vez que recuerdo cómo te conocí y los detalles mínimos que hemos vivido juntos. Y a la vez, Gerardo, no he podido dejar de soñar o imaginar cómo sería esta relación llena de amor premiada por esos hijos que aún no hemos podido tener. Hemos bromeado, jugado y hasta discutido, con el supuesto nombre de una niña o niño, con lo que nos gustaría enseñarles o el medio que deseamos para ellos.

Estoy segura de que a ti te han pasado por la mente pasajes de esa posible convivencia y que has visto, como yo, los ojos de nuestra niña, o la forma de pararse de nuestro niño, con mi pelo, o con tu risa. A veces me siento en un parque y cuando pasa un niño o una niña pienso que podría ser alguno de nuestros hijos, y mi corazón se llena de ternura.

Admiro a Elizabeth y a Olguita, mujeres que han educado a sus hijas con gran esfuerzo sin la presencia del padre. No dejo de pensar en lo que deben sentir Ramón y René lejos de ellas y de sus hijas. Me imagino a mí misma en una situación semejante. Creo que yo no hubiera tenido el valor de ellas para criar a sus niñas sola, imaginando cuánto sufrirías por no poder disfrutar de esa maravilla. No. Me aferro a la idea de que vendrás y estarás en el parto, sin desmayarte y pariremos juntos a nuestros hijos, y nos pondremos de acuerdo para turnarnos por la madrugada cuando el bebé llore. Tú dibujarás y le inventarás cuentos, y le cantarás todas las canciones infantiles que no me aprendí, y yo le enseñaré a jugar a la pelota, porque tendré más ánimos que tú. Te quiero, y lo vamos a lograr. Tú no me dejarás sola nunca, porque en estos años terribles has estado lejos, pero no ausente.

EL JUICIO DE LOS CINCO CUBANOS

Por más de cuatro décadas, los cubanos de la extrema derecha radicados en Miami han lanzado ataques contra Cuba que han traído consigo muertes, lesiones graves, y pérdidas de propiedades por millones de dólares. En lugar de ser procesados por sus actividades terroristas, ellos han disfrutado de un activo respaldo, o de la deliberada ceguera ante sus acciones por parte del gobierno de Estados Unidos.

A principios de los años noventa, cuando Cuba estaba comenzando a recuperarse del impacto producido por el colapso de la Unión Soviética y se promocionaba como destino turístico, los exiliados concentraron sus agresiones en las terminales aéreas, los ómnibus de turismo y los hoteles. Aeropuertos y marinas del sur de la Florida fueron repetidamente usados para lanzar ataques contra esos objetivos. En uno de ellos desde una lancha cercana a la costa se dispararon proyectiles contra un hotel ubicado en el litoral. En otro, una bomba explotó en el famoso hotel Copacabana asesinando a un turista italiano.

Reiteradas protestas diplomáticas a los Estados Unidos y ante las Naciones Unidas fueron ignoradas, mientras los enemigos de Cuba esperaban ansiosamente el colapso de la Revolución Cubana.

Fue entonces cuando cinco hombres, más tarde conocidos como los Cinco Cubanos, cuya correspondencia familiar aparece en este libro, se aprestaron a defender a su país. Ellos viajaron a Estados Unidos, no con armas o explosivos, sino con coraje e ingenio para infiltrar los grupos extremistas que operan al sur de la Florida y avisar a las autoridades cubanas de sus planes y actividades terroristas inminentes. Los Cinco tuvieron éxito en su misión. Las informaciones que recopilaron formaron parte de un largo informe que fue entregado por el gobierno cubano a agentes del Buró Federal de Investigaciones, invitados a La Habana para recibir cuatro volúmenes de información, que incluían nombres y lugares (entre ellos campos de entrenamiento militar en el sur de la Florida). Las autoridades cubanas le solicitaron al FBI tomar las medidas apropiadas para detener las continuas transgresiones tanto de la ley internacional como de las leyes nacionales de Estados Unidos. Cuando la administración norteamericana no hizo nada al respecto, el gobierno cubano facilitó al periódico *The New York Times* copia de lo que se le había entregado al FBI. Nada de esto fue publicado.

Cuando al fin, el gobierno norteamericano actuó, no fue para procesar a los responsables de la violencia, muchos de ellos con estrechas conexiones con personas del *establishment* político, militar y de inteligencia en Estados Unidos, sino a aquellos que habían documentado sus actividades, es decir, los Cinco Cubanos. En septiembre de 1998, ellos fueron acusados del crimen de conspiración para cometer espionaje y de otros crímenes menores. El acusar a alguien del cargo de «conspiración» exime al gobierno de la obligación de probar que el crimen de espionaje ha ocurrido realmente. Todo lo que tenía que hacer la fiscalía era persuadir a un jurado de Miami de un «acuerdo» amorfo entre los acusados para cometer espionaje en un momento no especificado del futuro. De hecho, poco después de su arresto, el gobierno de Estados Unidos reconoció en un comunicado de prensa que «no existen indicios de que ellos tuvieran acceso a documentos clasificados o acceso a áreas sensibles», asegurando de esta forma a la opinión pública que la seguridad nacional «nunca estuvo comprometida».

Percatándose de la debilidad del caso, y bajo la creciente presión de la comunidad exiliada en Miami para que se encausara al Presidente cubano Fidel Castro, el gobierno enmendó los cargos siete meses después del arresto de los Cinco para incluir una conspiración más seria: conspiración para cometer asesinato. A Gerardo Hernández, uno de los Cinco Cubanos, se le añadió esta acusación pues se había infiltrado en la organización Hermanos al Rescate, cuyos miembros murieron al ser sus aviones derribados por la fuerza aérea cubana cuando intentaban sobrevolar Cuba en febrero de 1996.

Antes de que su caso fuera llevado ante los tribunales, los Cinco pasaron diecisiete meses en celdas de aislamiento utilizadas normalmente para castigar a criminales sentenciados por un mal comportamiento en prisión. El gobierno limitó también la capacidad de sus abogados para preparar adecuadamente la defensa al imponer procedimientos de seguridad que restringieron su acceso a las evidencias.

La suerte de los Cinco fue sellada mucho antes de que comenzara el juicio, cuando la jueza se negó a trasladar el caso fuera de Miami, de manera que el jurado pudiera ser seleccionado en una comunidad que no estuviera tan prejuiciada por la hostilidad contra Cuba. Un juicio debe ser trasladado siempre que se demuestre que el prejuicio de la comunidad hace que un proceso justo sea improbable. Datos de encuestas realizadas a residentes de Miami —que incluyeron a más de medio millón de exiliados de Cuba y sus familias— establecieron que allí existía un prejuicio abrumador en contra de los Cinco, excluyendo cualquier posibilidad de un juicio justo. Sin embargo, la modesta y razonable solicitud de trasladar el caso sólo a 25 millas, a Fort Lauderdale, fue denegada, y obligó a los Cinco a defenderse en una atmósfera que, según palabras del principal experto en las actitudes de Miami hacia Cuba, reducía a «cero» las posibilidades de un juicio justo.

El juicio duró cerca de siete meses —en su momento fue el proceso criminal más largo en los Estados Unidos. Más de setenta testigos participaron por ambas partes, incluyendo dos generales, un almirante y un asesor presidencial, entre otros, citados por la defensa y que apoyaron el argumento de que no había existido ninguna conspiración para violar las leyes de Estados Unidos. Miles de páginas fueron introducidas como evidencia, incluyendo muchos de los informes enviados por los acusados a Cuba valorando los peligros que representaban estos grupos en los que ellos estaban infiltrados y advirtiendo de inminentes ataques. La defensa incluso citó a algunos líderes de las organizaciones contrarrevolucionarias del exilio que se vieron obligados a confesar sus acciones de violencia contra Cuba. A pesar de las poderosas evidencias presentadas por la defensa, el jurado rápidamente declaró a los Cinco culpables de los 26 cargos presentados en su contra.

Igualmente predecibles fueron las máximas sentencias impuestas a cada uno de los acusados por cada uno de los cargos de los que fueron declarados culpables: Gerardo Hernández recibió dos cadenas perpetuas más quince años, Ramón

Labañino recibió cadena perpetua más dieciocho años, Antonio Guerrero también recibió cadena perpetua más diez años, Fernando González fue sentenciado a diecinueve años y René González a quince años. Inmediatamente después de recibir sus sentencias ellos fueron separados y enviados a diferentes prisiones lo más lejos posible una de otra: Texas, California, Colorado, Winconsin y Carolina del Sur.

Justo cuando sus casos estaban siendo preparados para apelación en marzo de 2003, los Cinco fueron enviados de forma sumaria a celdas de castigo en confinamiento solitario, reservadas para los prisioneros más violentos e incorregibles. «Por órdenes de Washington» dijeron los funcionarios de las prisiones locales, quienes estaban perplejos por esta directiva, pues los cubanos habían estado comportándose de forma ejemplar. Sólo después de las protestas mundiales que objetaron esta acción injustificada, incluyendo las que se hicieron desde el Congreso de Estados Unidos, los Cinco fueron reintegrados a su status regular.

En el momento que se hace este escrito sus casos están bajo apelación ante la corte del Onceno Circuito de Atlanta, cuya decisión marcará otro capítulo de la larga lista de injusticias contra Cuba, o, con suerte, será una ruptura inteligente y necesaria con ese pasado vergonzoso.

LEONARD WEINGLASS,
ABOGADO DEFENSOR DE ANTONIO GUERRERO

ÍNDICE